HISTORIA DE LOS TERREMOTOS EN PUERTO RICO

2da Edición
Actualizada

Luis Caldera Ortiz
Centro de Estudios e Investigaciones del Sur Oeste de Puerto Rico

Editorial Akelarre
2020

Historia de los terremotos en Puerto Rico

Primera Edición
marzo 2016

Segunda Edición
marzo 2020

Editorial Akelarre
Centro de Estudios e Investigaciones del Sur Oeste (CEISO)

Lajas, Puerto Rico
editorialakelarre.blogspot.com
editorialakelarre@gmail.com

Ilustraciones sometidas por el autor y su equipo de trabajo.

Portada: Diseño y fotos proporcionado por el autor.

ISBN-13: 978-8621572518

CONTENIDO

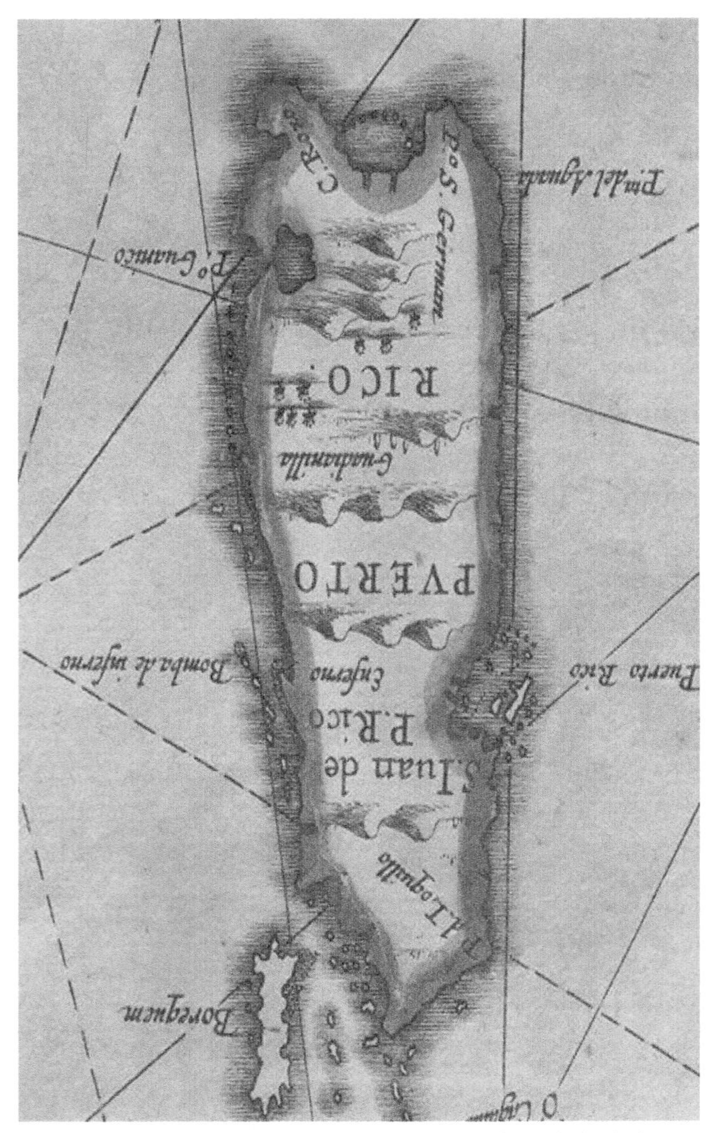

Mapa de la isla de Puerto Rico a finales del siglo XVI.

PROLOGO

Primera Edición

Por:

Dr. Luis Edgardo Díaz Hernández
Catedrático PUCPR, Historiador

La historia es la madre de todas las disciplinas y la geografía es una de esas ciencias auxiliares que la complementan.

Luis Caldera Ortiz es un estudioso de la historia y ahora nos sorprende con este libro que titula "Historia de los terremotos en Puerto Rico", sin embargo, el autor va más allá de la historia y se adentra a la teoría relacionada con las causas de los movimientos telúricos incluyendo los maremotos. Esta lectura es muy práctica para los lectores ya que hace un recorrido de los temblores fuertes o terremotos que han afectado nuestro terruño desde los orígenes históricos hasta al presente.

Caldera basa su estudio en las frecuentes visitas que realizó al Archivo Nacional de Puerto Rico, al Archivo Histórico de Ponce y a su consulta a los periódicos locales del siglo XIX y XX. A esto, añadimos que completó esta investigación en sus visitas a diferentes archivos españoles vía digital o "en línea".

El autor además de ponernos al tanto de una historia de Puerto Rico desconocida para muchos lectores, nos revela que a pesar de que en esta región caribitana o caribeña ocurren frecuentemente temblores, los "fuertes" son pocos, pero causan destrucción. Ejemplo de esto fueron el terremoto en 1787, el de 1867 y el desastroso de 1918.

El Caribe nuestro, y muy en especial la región de Puerto Rico está rodeada de varias fallas tectónicas que al "acomodarse" o moverse hace o promueven el movimiento telúrico de la superficie aledaña, provocando lo que llamamos temblor y/o terremoto. Hay que darle importancia a la falla localizada al norte de la isla de Puerto Rico, llamada: "trinchera" que tiene más de 28,000 pies de profundidad, donde cabe muy cómodamente el pico más alto del planeta, el "Everest".

El libro es ameno, además de informativo, nos trae hasta el siglo XXI para recordarnos que los movimientos telúricos van a estar afectándonos a través de toda la vida.

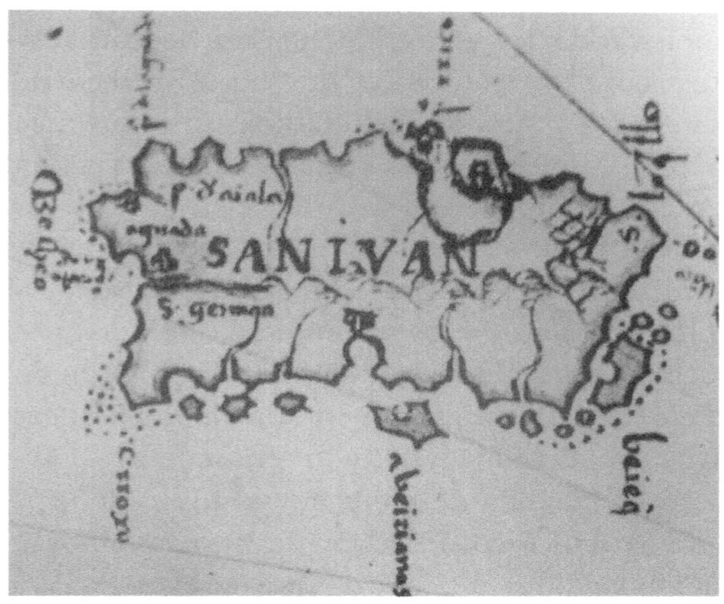

Mapa de la isla de Borinquén realizado aproximadamente en el 1545 por Alonso de Santa Cruz.

INTRODUCCIÓN

Esta segunda edición de *Historia de los terremotos en Puerto Rico* es una versión ampliada y atemperada a los acontecimientos sísmicos ocurridos desde el 28 de diciembre de 2019 y que llegaron a su momento pico con el terremoto del 7 de enero de 2020. El foco y epicentro principal de la actividad sísmica señalada fue el área suroeste de la Isla (Lajas, Guánica, Yauco, Guayanilla y Peñuelas) y cuyas repercusiones se extendieron a otros municipios. La mayoría de los temblores que se dieron en ese periodo están relacionados con la llamada falla de Montalva. En esencia, estos acontecimientos son catalogados como los de mayor intensidad desde el terremoto de 1918.

***

Este trabajo presenta un análisis de la historia de los terremotos (o temblores fuertes) en Puerto Rico a través de su historia conocida. Debemos de estar conscientes de que los movimientos sísmicos han formado parte de las vivencias de la sociedad puertorriqueña.

Las fuentes utilizadas para esta investigación proceden de los archivos de españoles[1], del Archivo Nacional de Puerto Rico, del Archivo Histórico de Ponce, de rotativos antiguos y contemporáneos, de revistas

[1] La mayoría de los expedientes procedentes de España están digitalizados en el Portal de Archivos Españoles (PARES). Esto nos evidencia la importancia de la tecnología. Su uso adecuado nos lleva a buenos resultados. En el portal de PARES hay una enorme cantidad de documentos relacionados a Puerto Rico, la mayoría de ellos no han sido consultados ni estudiados.

profesionales y de obras de carácter secundario y/o de referencias.

En el primer capítulo buscamos expresar una breve síntesis de la teoría moderna relacionada con los terremotos y los maremotos (tsunamis). Además, se explicará de manera sencilla los conceptos científicos relacionados con tales términos y la evolución histórica del estudio en este campo. En los siguientes capítulos abordaremos el tema de los terremotos o temblores fuertes desde una perspectiva histórica iniciando con el siglo XVI. Esto nos llevará a tener una idea de lo que estaba sucediendo en Puerto Rico en cada una de las ocasiones que se reportó un temblor de magnitud considerable.

Uno de los grandes aspectos que encontramos en nuestra investigación fue que, tradicionalmente, solo se han reportado sismos de magnitud mayor. Esto nos lleva a entender que la población estuvo, en un momento dado, adaptada a los temblores menores, cuyos registros pasaban por desapercibido en los informes oficiales. Este punto nos lleva a observar a una población que pudo haber tratado con normalidad este tipo de eventos.

En este trabajo nos hemos concentrado en los sismos que entendemos fueron de magnitud fuerte o moderada fuerte. Eso se notará, especialmente en los capítulos finales, relacionados con el siglo XIX y siglo XX; en donde los adelantos científicos habían permitido que se estudiara mejor el fenómeno sísmico. Para terminar este apartado, esperamos que disfruten de esta obra, así como nosotros disfrutamos al realizar el trabajo de investigación y análisis de los documentos consultados.

UN POCO SOBRE LA CIENCIA DE LOS TERREMOTOS

Es fundamental tener una idea sobre cómo es la ciencia que estudia los eventos sísmicos y especialmente cuales son las principales teorías modernas con relación a cómo se desarrollan los grandes terremotos. Por esa razón antes de entrar en el contenido histórico es definitivo entender los conceptos que están relacionados con la ciencia de los terremotos.

Debemos comenzar con la definición científica de terremoto. El cuál es el conjunto de vibraciones de la tierra producidas por la liberación rápida de energía desde la roca que se rompen debido a que han sido sometidas a presiones mayores.[2] La energía que se libera, que irradia a todas las direcciones, se le denomina foco. Los movimientos que surgen de los terremotos se producen en la mayoría de las veces en grandes fracturas llamadas fallas. Mayormente, estas se encuentran cercano a los bordes de las placas.[3]

A lo largo de una falla, las rocas almacenan energía a medida que se doblan. Cuando el deslizamiento se

---

[2] Edward Tarbuck y Frederick Lutgens, *Ciencia de la Tierra "Una introducción a la Geología Física"*, 8ª ed. España, Pearson 2005, pp. 307-308.

[3] Las placas tectónicas son un conjunto de bordes divergentes y convergentes. Estas están identificadas a lo largo del planeta. Son parte del proceso natural de distribución de energía del manto del planeta. La teoría de las placas tectónicas es apoyada por la distribución global de la ocurrencia de terremotos y su estrecha asociación con los bordes de estas. Las placas son parte de lo que se le conoce como la Litosfera (capa rígida de la tierra), estas se dividen en siete grandes fragmentos y otros más pequeños, todas están en constante movimiento. Las placas se mueven como unidades relativamente coherentes y se deforman fundamentalmente a lo largo de sus bordes.

origina en el punto más débil (foco), este produce y libera energía. Es allí donde se produce el movimiento sísmico. Un temblor grande esta precedido de sismo precursores. Los ajustes posteriores del terreno después de un terremoto grande son conocidos como réplicas.

Durante un temblor, se producen dos tipos de ondas sísmicas, estas son: la onda superficial que viaja a lo largo de la capa externa de la tierra y la onda de cuerpo que recorren el interior de la tierra. Las ondas de cuerpo a su vez se dividen en dos ondas adicionales, estas son: las ondas primarias (P) que empujan (comprimen) y tiran (expanden) de las rocas en la dirección de desplazamiento del frente de la onda. Las ondas P pueden viajar a través de materia sólida, líquida y gaseosa.

La velocidad de traslación en cualquier material sólido hace a la onda P, 1.7 más rápida a otras emisiones que la acompaña. Las ondas secundarias (S) son las que mueven las partículas de roca en ángulos rectos con respecto a la dirección de su desplazamiento. La onda S, solamente viaja en materiales sólidos y es más lenta que la onda P.[4] No obstante, esta última onda, entendemos, tiene un efecto mayor que la onda primaria.

El punto de la superficie de la tierra situado directamente encima del foco se llama epicentro. La posición del epicentro se determina hallando la diferencia de velocidad entre las ondas P y la onda S. La diferencia entre los tiempos de llegada de las mencionadas

[4] Tarbuck y Lutgens, *Ciencia de la Tierra*..., pp. 308-310.

ondas puede determinar la distancia que separa la estación de registró del epicentro del terremoto.[5] Existe una estrecha relación entre los epicentros de los terremotos y los bordes de placas. Los epicentros de los principales terremotos se encuentran a lo largo de la margen externa del Océano Pacifico. Esta zona es conocida por los científicos como el cinturón circumpacifico.[6] Al igual, en los demás océanos se pueden encontrar sistemas de dorsales oceánicos que representen áreas de susceptibilidad sísmica.[7]

Un ejemplo de un país que ha experimentado recientemente fuertes temblores es Chile. El mencionado país está ubicado cerca de la placa del Pacifico. En 2010 sintieron un terremoto de sobre los 8.5 grados en la escala Richter y en abril del 2014 se sintió otro de la misma intensidad.

Los sismólogos utilizan fundamentalmente dos medidas diferentes para describir las dimensiones de un terremoto, estas son: la intensidad y la magnitud. La intensidad es medida basada en la cantidad de daños producido en un determinado terreno. El método utilizado es conocido como la escala de Mercalli Modificada. La magnitud se calcula a partir de los registros sísmicos y estima la cantidad de energía liberada en el origen del temblor y el terremoto.

---

[5] Cuando se registra temblores o terremotos en tres o más estaciones sísmicas, se puede localizar el epicentro utilizando un método llamado triangulación.

[6] A esta se le conoce mejor como el cinturón de fuego, sale de Indonesia, rodea a Japón, pasa cercano a Alaska, se desliza por la costa oeste de los Estados Unidos hasta llegar hasta la punta oeste de América del Sur.

[7] Las dorsales oceánicas son líneas de montañas que están en el fondo del mar, formadas por volcanes submarinos y su forma es similar a las costuras de una pelota de béisbol.

La escala de Richter determina la magnitud de un terremoto midiendo la amplitud (desplazamiento máximo), de la mayor onda sísmica. Se utiliza una escala logarítmica, en la cual a un incremento de 10 decibeles en la vibración del terreno corresponde un aumento de 1 en la escala de magnitud.[8] La magnitud del momento, se utiliza en la actualidad para calcular las dimensiones de los terremotos medianos a grandes. Se calcula utilizando el desplazamiento medio de la falla, el área de la superficie y la resistencia a la cillaza de la roca fallida.[9] El instrumento utilizado para estas mediciones se le conoce como sismógrafo.

Los factores más obvios que determinan la cantidad de destrucción de un terremoto son la magnitud del temblor y su proximidad a la zona poblada. Los daños a las estructuras que son atribuidas a las ondas sísmicas son: la amplitud de las ondas, la duración de las vibraciones sísmicas, la naturaleza del material sobre el cual reposan las casas y edificaciones y el diseño mismo de las estructuras.[10] Otros efectos secundarios de los terremotos son los tsunamis, los desplazamientos de tierra, la subsidencia de terrenos y los incendios.

---

[8] Como evidencia de las fuerzas de estas ondas sísmicas, podemos indicar que una onda de 3.0 es equivalente a una prueba de bomba atómica del 1946. Una onda de 5.0, es equivalente aproximado a 31 bombas nucleares de la misma magnitud, una onda sísmica de 7.0, es equivalente a más de 1,000 bombas nucleares y un temblor de 9.0 es equivalente al consumo anual de energía de los Estados Unidos. Por cada incremento de unidad en la magnitud, la energía liberada aumenta alrededor de 31.6 veces. Para más información sobre esto véase a Tarbuck y Lutgens, *Ciencia de la Tierra...*, pp. 307-340.

[9] Tarbuck y Lutgens, *Ciencia de la Tierra...*, pp. 310-314.

[10] Ibíd., pp. 310-318.

Todavía no hay un método de predicción de temblores, los pronósticos a largo plazo se basan en la primicia de que los terremotos fuertes son repetitivos o cíclicos. Los sismólogos estudian parte de la historia de los sismos para obtener patrones, para así poder predecir la posible aparición de alguno de estos. Los científicos también utilizan otras técnicas para predecir el terremoto a corto plazo. Por ejemplo, en California los sismólogos miden el levantamiento, subsidencia y la deformación de las rocas próximas a fallas activas.

Los científicos japoneses intentaron estudiar el comportamiento anómalo de los animales que puede preceder a un terremoto. Otros científicos buscan controlar los cambios del nivel del agua subterránea. Un tercer grupo buscan predecir terremotos en función de los cambios de la conductividad eléctrica de las rocas.[11]

Los tsunamis son la analogía del terremoto, pero con la diferencia que estos se producen en el fondo del mar. La definición de Tsunamis es ola de puerto en japonés, cuyo nombre en español es maremoto. Por lo general, cuando se produce el terremoto en el mar, suele en ocasiones estar acompañado de estas olas asesinas. Un aspecto importante es que para que se produzca un Tsunamis, el epicentro debe producirse a una distancia de 5 millas o menos de la superficie oceánica. Para que así se pueda desgarrar el subsuelo oceánico y en consecuencia se crea la onda de movimiento.

La velocidad de la onda está relacionada con la profundidad oceánica; cuando esta onda está viajando por aguas profundas, la velocidad de traslación es de

---

[11] Ibíd., pp. 320-335.

800 KM/H aproximados. Cuando la mencionada onda va llegando a la orilla, la velocidad se va disminuyendo gradualmente hasta los 50 KM/H y especialmente en la profundidad de 20 metros. La disminución de la velocidad de la onda hace que la velocidad de la ola también se disminuya.

A medidas que las olas se ralentizan en agua superficial, crecen en altura hasta que se tambalean y se precipitan sobre la costa con tremenda fuerza. Tal impulso, en ocasiones puede penetrar el interior de la costa afectada por varias decenas de metros y llevándose todo a su paso. El mejor ejemplo del ataque de un Tsunamis sucedió a finales del mes diciembre del 2004, en las islas de Sumatra y Java, cuya extensión abarcó el océano Índico e incluso los efectos de la ola llegaron hasta la costa de Sur África. Otro ejemplo fue el maremoto que sucedió en Japón a mediados del año 2010. Todavía no existe una forma precisa de predecir un Tsunami y esto último es uno de los mayores retos que tiene la ciencia por delante.

El conocimiento que tienen los científicos hoy en día con el tema de los terremotos fue un proceso lento y lleno de múltiples preguntas. Anterior al siglo XIX, el catastrofismo influyó en la formulación de explicaciones para los fenómenos que suceden en el planeta.

Una teoría que se desarrolló a finales del siglo XVIII fue el uniformismo de James Hutton. Este establecía que las leyes de la física, químicas y biológicas que actúan en la modernidad, también actuaron en el pasado geológico. El científico sostenía que los procesos eran lentos, aunque alcanzan, en un prolongado lapso del tiempo, producir efectos grandes que pudiesen ser considerados como acontecimientos catastróficos.

Fray Iñigo Abbad y Lasierra indicaba que las emanaciones sulfúricas en las montañas eran indicativos de que podían suceder temblores. Además, abonaba a que el comportamiento anómalo de los animales domésticos era una señal segura de terremoto.[12] Esta opinión fue hecha para la isla de Puerto Rico, a pesar, que su libro fue escrito y publicado en España a finales del siglo XVIII. Posiblemente, su opinión, era amparada al conocimiento científico de su época. Uno de los primeros estudiosos que menciona este tema fue James Hutton, aunque dudamos que Abbad y Lasierra haya tenido oportunidad de estudiarlo. La teoría del escocés Hutton se empezaron a estudiar más a fondo en otros lugares de Europa, en la centuria siguiente. Por lo que creemos que la teoría de Abbad y Lasierra era un antecedente a la creada por James Hutton.[13] Debemos señalar que ambos publicaron casi paralelamente a finales del siglo XVII.

En el siglo XIX se desarrollaron los principios de datación relativa, donde el concepto principal era la ordenanza de acontecimiento en secuencia y en orden apropiada. A base de ese señalamiento se obtiene una edad geológica. La ley de superposición establece que

[12] Fray Iñigo Abbad y Lasierra, *Historia Geográfica, Civil y Natural de la Isla de San Juan Bautista de Puerto Rico. Edición comentada por José Julián de Acosta,* Puerto Rico, Imprenta y Librería de Acosta, 1866, pp. 431-432.

[13] James Hutton plasmó su teoría de la Tierra en dos conferencias en el 1785 y estas fueron publicadas en el 1788. Su obra magna *Theory of the Earth* fue terminada de publicar 100 años después. La versión de Abbad y Lasierra fue publicada ese mismo año. Para el 1866 fue publicada en Puerto Rico por José Julián Acosta, este último ofreció unos comentarios y opinión sobre los terremotos un poco más adelantada y adaptada a su época.

las rocas más jóvenes están ubicadas en la parte superior y la parte más antigua en la inferior[14]; un ejemplo típico se puede observar en el Gran Cañón del Colorado.

El 14 de mayo del 1846, el ilustre Alejandro Humboldt publicó un extenso artículo en la Gaceta de Madrid con relación a su teoría de la formación de los terremotos. Este expresaba lo siguiente:

> No se sabe si atribuir a estos fenómenos a los vapores que salen de las extrañas de la tierra y se mezclaron en la atmosfera, o una perturbación que los sedimentos determinarían en el estado eléctrico de las capas aéreas. En las regiones intertropicales de América pasa algunas ocasiones diez meses sin que se desprenda del cielo una gota de agua y los naturales consideran los terremotos que se reportan con frecuencia sin causar más leves lesiones a sus cabañas de bambú, como el venturoso presagio de lluvias abundantes y fecundas. El origen común de los fenómenos que acabamos de describir está envuelto en la más profunda oscuridad. Indudablemente es preciso atribuir a la reacción de vapores sometidos a una presión enorme en el interior de la tierra los sacudimientos que ayudan las superficies desde las explosiones más formidables hasta esos débiles sentidos...[15]

Por lo que claramente el genio científico de Humboldt no tenía claro de cómo podían suceder estos fenómenos. Pero, aun así, él pensaba que debía existir una presión interna dentro de la tierra para que los

---

[14] Tarbuck y Lutgens, *Ciencia de la Tierra...*, pp. 10-60.

[15] *La Gaceta de Madrid*, 14 de mayo del 1846, p. 3. Humboldt mencionó en su articuló que en 1693 hubo un terremoto en Sicilia que mató a 60,000 personas, en el 1797 en la región de río Baraba, "América del Sur", murieron 30 a 40 mil. En noviembre del 1822 en la costa de Chile ocurrió otro terremoto. El 1 de noviembre del 1755 hubo terremoto en Lisboa, Portugal. El día 10 de noviembre del 1827 hubo un terremoto en Nueva Granada, en el valle de Magdalena, actual Colombia.

temblores fuertes y pequeños se dieran. Las teorías de Humboldt en el campo de la ciencia fueron bastante aceptadas por la comunidad científica durante gran parte del siglo XIX. Lo más que denota de esto último es que para a mediados del siglo XIX esta era la visión científica de la época.

Debemos añadir que Humboldt basó sus estudios en los aspectos y característica del estudio del volcán del Vesubio en Italia. Además, el insipiente erudito pensaba que la fuerza del volcán estaba relacionada al terremoto.[16] Esto último esta aceptado hoy en día. Es un hecho que las erupciones volcánicas están antecedidas por temblores sísmicos. Por lo que esto denota que la ciencia del estudio de los terremotos iba paso a paso.

La ciencia de los terremotos no empezó a estudiarse formalmente hasta finales del siglo XIX. En 1880 varios científicos británicos comenzaron a hacer un estudio más profundo en relación con los terremotos. Los estudiosos James Alfred Ewing, Thomas Gray y John Milne fundaron la Sociedad Sismológica.[17] Entre estos caballeros desarrollaron el sismógrafo, aunque es a John Milne que se le acredita la invención del mencionado instrumento, cuyo funcionamiento era un sismógrafo de péndulo horizontal. Para el 1895, John Milne

---

[16] *La Gaceta de Madrid*, 14 de mayo del 1846, p. 3.

[17] El término de sismología viene del griego seísmo: sismos y logos (estudio). La sismología es una rama de la geofísica que se encarga del estudio de los sismos o terremotos e implica la observación de las vibraciones naturales del terreno y de las señales sísmicas generales de forma artificial, con muchas ramificaciones teóricas y prácticas. La sismología incluye el estudio de los maremotos y marejadas asociadas a otros fenómenos, así como muchas vibraciones previas a erupciones volcánicas. La interpretación de los sismogramas, que se registran al paso de las ondas sísmicas, permite estudiar el interior del planeta Tierra.

en su regreso a Inglaterra fundó un observatorio sismológico en Shade Hill House en la isla de Wright.[18] Con el pasar de las décadas, el sismógrafo tuvo varias modificaciones y en la actualidad sigue siendo un instrumento importante para que los sismólogos presenten sus análisis científicos.

La escala de Mercalli se amparó en una simple escala de diez grados y fue desarrollada por Michele Stefano, Conté de Rossi y François Alphonse Forel. Luego fue revisada por el vulcanólogo italiano Giuseppe Mercalli entre el 1884 y 1906. Esta escala continúa teniendo algunas modificaciones en las primeras décadas del siglo XX. En la década de 1930, Charles Richter dio una versión más moderna de la mencionada escala. Este último, con colaboración de Beno Gutenberg, desarrollaron una escala para separar los terremotos pequeños de los menos frecuentes temblores mayores observados en la California de su tiempo.[19]

La inclusión del logaritmo[20], le permitió ampliar el rango de aumento de la intensidad de las ondas sísmicas. Esta técnica utilizada por Richter[21] era una similar a la que los astrónomos utilizaban para describir el brillo de las estrellas y otros objetos celestes. Pero la escala Richter sufrió varias modificaciones y en las últimas décadas del siglo XX se le bautizó con el nombre del científico propulsor.

Luego de esta pequeña síntesis histórica, relacionada con la historia del estudio de los terremotos aún

---

[18] Tarbuck y Lutgens, *Ciencia de la Tierra...*, pp. 307-340.

[19] Ibíd.

[20] El logaritmo es una función matemática que agrupar varias ecuaciones y estas forman un comportamiento dinámico.

[21] La técnica se llama escala de magnitud estelar.

podemos ver que la realidad científica es que falta mucho por hacer dentro de la sociedad sismológica. Entre las cosas que se deben desarrollar está el crear predicciones precisas y el educar de manera preventiva a la creciente población mundial.[22] Por ello, es meritorio tener una idea sobre los acontecimientos sísmicos del pasado. Para así tener presente, que estos fenómenos siempre han sido parte de la historia del planeta Tierra.

La tectónica de placas y los estudios de la rama de la ciencia, conocida como geofísica, demuestran que los terremotos y sismos son parte del funcionamiento interno de nuestro planeta. Cuya función es sumamente importante para que las distintas formas biológicas existentes del planeta se mantengan vivas. Al igual que es importante el estudio del aire que respiramos, así de importante es el estudio de la ciencia tectónica con relación a la posición de los márgenes continentales. Por lo que el estudio histórico a presentar a continuación va cónsono con el pensamiento expresado. Entendemos que nuestra sociedad merece saber un poco mejor su historia, en especial la relacionada con los terremotos registrados en nuestra Isla.

---

[22] Una teoría de este autor es utilizar ondas que midan la emisión de espectros de los compuestos en el interior del planeta y así hacer un diagrama de las áreas que acumulan energía en el interior de la Tierra. La energía de los espectros puede darnos una idea de los sedimentos aguantados por la porción de la placa o falla aguantada. No debemos olvidar que el movimiento de las placas es sumamente lento y por eso esto es un proyecto a largo plazo, como tal sucede con los terremotos grandes. Solamente en áreas como Chile e Indonesia, el proceso de formación de un terremoto es mucho más acelerado en comparación con otros lugares. Esta teoría merece un estudio científico de comprobación.

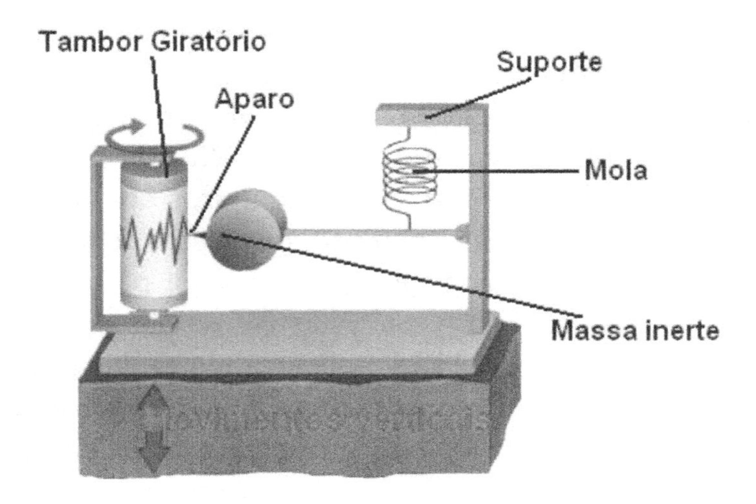

Imagen de un sismógrafo simple, esta es un diagrama que nos ayuda a comprender como se registran los movimientos telúricos. Fuente: nasa.gov.images.

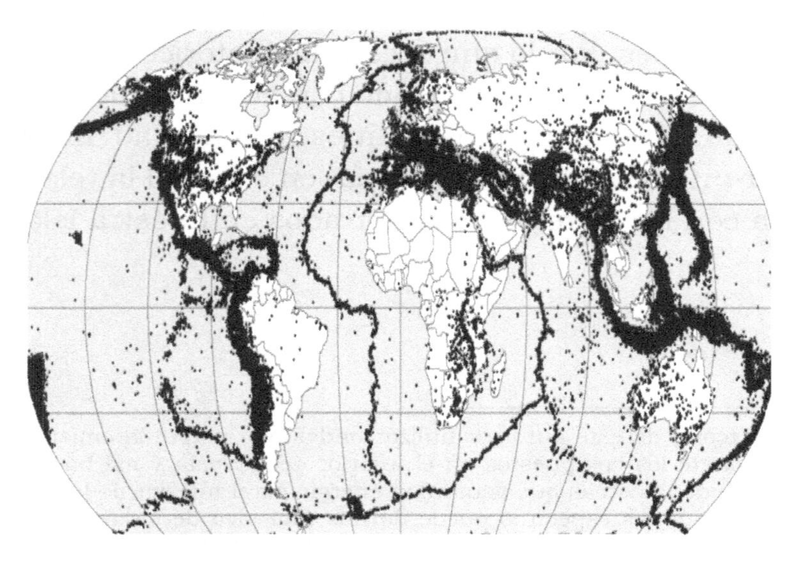

Determinación preliminar de los epicentros de terremotos y temblores entre 1963 a 1998. Fuente: NASA

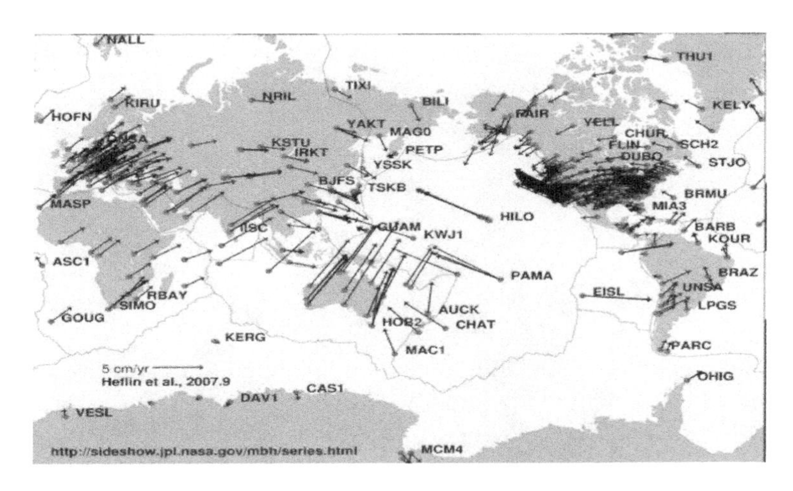

Esta imagen nos muestra los movimientos de las placas tectónicas en todo el planeta.
Fuente: nasa.gov.images.

Letrero de *Tsunami Warning* ubicado en el barrio Peñuelas del pueblo de Santa Isabel. En la actualidad estos letreros están ubicados por muchos municipios costeros de Puerto Rico. Fotografía del autor.

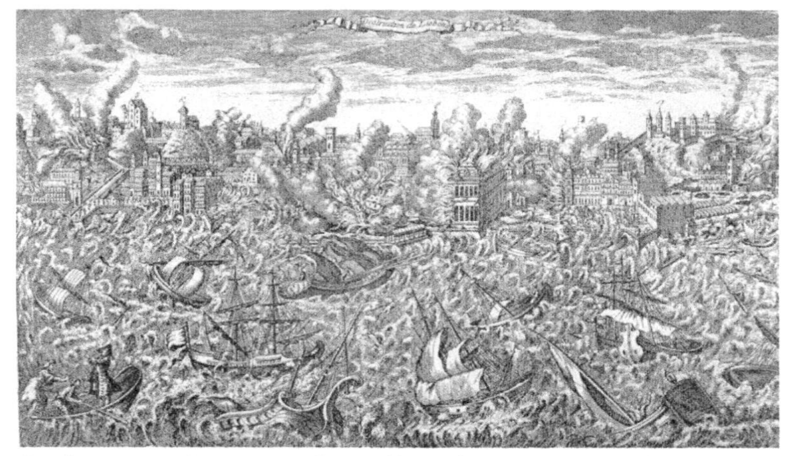

Grabado en cobre que describe el terremoto de Lisboa en 1755. Fuente: The Earthquake Engineering Online Archive, Jan Kozak Collection, University of California.

Plano de la fortaleza del Morro atribuido en el 1582 por Juan Ponce de León II. AGI, Mapas y Planos, Santo Domingo, 8.

HISTORIA DE LOS TERREMOTOS EN PUERTO RICO, SIGLO XVI AL XVIII

Para 1493, en el segundo viaje de Cristóbal Colón se avistó y registró en el catálogo de islas descubiertas a San Juan Bautista, conocida por los indios taínos como Borinquén.[23] Es sumamente interesante, que exista un vacío historiográfico entre el descubrimiento de Puerto Rico y la campaña colonizadora de Juan Ponce de León en la primera década del siglo XVI. Lo que sí creemos es que todo lo que esté relacionado con el tema de la primera campaña colonizadora en Puerto Rico merece ser revisado. Para el 1505, Vicente Yánez Pinzón recibió un permiso por parte del Rey para colonizar la isla de San Juan Bautista.[24] Pero, tal misión no se pudo llevar a cabo.

---

[23] Fernando Picó, *Historia general de Puerto Rico,* San Juan, Ediciones Huracán, 2000, p. 44. Una fuente que recomendamos sobre el segundo viaje de Cristóbal Colón es la obra de Aurelio Tío, *Dr. Diego Álvarez Chanca, Estudio Biográfico,* San Juan, Instituto de Cultura Puertorriqueña, 1966, pp. 49-58. En ella se encuentra la carta del Dr. Álvarez Chanca sobre su crónica en el segundo viaje de Cristóbal Colón a América.

[24] Jalid Sued Badillo, *El Dorado Borincano: La economía de la conquista 1510-1550,* San Juan, Ediciones Puerto, 2001, pp. 37 y 93. Según el autor, Vicente Yánez Pinzón visitó la Isla en 1504 acompañado de Martin García Salazar, estos vieron potencial de colonización en la isla de Borinquén. Estos regresaron a Castilla a pedir las capitulaciones correspondientes, la cual fue aprobada. Para la fecha del 24 de marzo del 1505 se expedía cedula de que Vicente Yánez era nombrado alcalde de la fortaleza por dos vidas (su hijo tendría el mismo derecho). La segunda carta se emitió el 24 de abril del mismo año, concediéndole asiento para poblar la Isla. La tercera fue emitida el mismo día, dándole título de capitán y corregidor. Otras dos se aprobaron en la misma fecha, en cual eximia de derechos de mantenimiento a los Pinzones y a sus acompañantes. Vicente Yánez Pinzón era hermano de Martin Alonso Pinzón, este último estuvo en el primer viaje de Cristóbal Colón. Para mediados de 1505, Salazar y Pinzón soltaron ganado en la tierra, pero lamentablemente no hay más información relacionada con esto último. Una fuente en donde

Según el monseñor Vicente Murga, la llegada de Juan Ponce de León a la isla de Borinquén, se dio el 12 de agosto del 1508.[25] Creemos que tal colonizador pudo venir un poco antes para hacer exploraciones por algunos ríos de la parte norte de la Isla.[26] Es sumamente debatible tratar de establecer una fecha precisa del arribo de Juan Ponce de León en Puerto Rico. Aparentemente ese mismo año hubo un intento de establecer un asentamiento en las costas de Manatí.[27] No obstante, tal misión no se llevó a cabo. En 1509, el mencionado Juan Ponce de León se le dio la capitulación para poblar la Isla y ahí nació el asentamiento de Caparra.[28] Se teoriza que estuvo ubicado en la zona que se le conoce como "Pueblo Viejo", en el actual municipio de Guaynabo.

---

se pueden conseguir las cedulas emitidas para el asentamiento de Pinzón es el *Boletín Histórico de Puerto Rico*, volumen 1, pp. 214-220. De esta última edición, nos reservamos el análisis, dado a algunas incongruencias en las traducciones de Cayetano Coll y Tosté.

[25] Luis González Vales, "Asencio de Villanueva y la Villa de Villanueva: Un intento de fundar una tercera población en Puerto Rico", Actas del XI Congreso de la Asociación de Academias de Iberoamericanas de la Historia, San Juan, 2010, p. 649.

[26] Sued Badillo, *El Dorado Borincano*...pp. 331-332. Según el autor, en la probanza de Juan González ("el lenguas") de 1534, se indica que este acompañó a Juan Ponce de León en su primer viaje exploratorio en el 1506. La misión identificó potenciales zonas mineras y se exploró la salida del río Guarabo, "Añasco", cuyo cacique era Maboavantes, los ríos Mavilla, Cibuco, Manatoabon, Cayniabon, entre otros.

[27] Picó, *Historia general*..., p. 45.

[28] Itsvan Szazdi León Borja, "Medio ambiente, urbanismo y gobierno en el espacio antillano durante el siglo 16", Actas del XI Congreso de la asociación de Academias de Iberoamericanas de la Historia, San Juan, 2010, p. 697. Según el autor el nombre de Caparra viene en honor al lugar de procedencia del comendador Nicolás de Ovando, cuyo sitio era llamado Cáceres en la Vía de la Plata. En tal lugar había un monumento llamado Arco de Caparra. Según las apreciaciones, Caparra se había convertido en el primero y único recuerdo de la vieja Hispania romana. Esta idea tiene sentido, pero hay que demostrar que Juan Ponce de León, lo hizo por agradecimiento o por afección a Nicolás de Ovando.

A mi entender, las distintas hipótesis que están establecidas y relacionadas con la fundación de la Ciudad de Puerto Rico, actual "San Juan" y la villa de San Germán merecen un estudio más profundo.[29] Sin duda alguna, entendemos que estos primeros asentamientos fueron establecidos para la explotación minera; cuyo principal activo de trabajo, lo eran los propios indígenas que estaban establecidos previamente en nuestra Isla. El resultado de los abusos cometidos con los Eyerí, conocidos como "Tainos", conllevó que un sector de estos últimos, se sublevaran contra los propios colonizadores. Esto provocó que los primeros asentamientos sufrieran modificaciones geográficas.[30]

---

[29] Sued Badillo, *El Dorado Borincano...*, pp. 55 y 332-333. Según este autor, el día 29 de enero del 1509 se promulgó una cedula, donde se construyeran dos poblados: estos fueron Caparra, que se establecía a una distancia de dos leguas al sur de la bahía en la costa noreste de la Isla; mientras que, en el área suroeste, cuyo lugar se identificó como Guánica se establecía el segundo. Sued Badillo indicó que esta última, inicialmente, se llamó villa de Tavora. Además, teorizó que el asentamiento original de Caparra estaba en las cercanías de unas minas que estaban ubicadas en el lugar que hoy está el pueblo de Corozal. Añadió, que la mudanza de Caparra en el 1521 fue mayormente para ubicarla cerca de las minas de la región de Luquillo.

[30] Ibíd., pp. 56-58. Un grupo de indígenas quemaron parte de Caparra en 1513 y para el 1519, se registró otro incendio. Para el mismo año, los vecinos se pusieron de acuerdo de trasladar el pueblo a la isleta. Para el 1522, el traslado se había completado, el antiguo Caparra, pasó a ser la villa de Puerto Rico. En el caso de la villa de Tavora, esta se estableció virtualmente paralela con Caparra en el 1509, en la región que hoy conocemos como Guánica y la principal persona que tenía la encomienda de someter al indígena de la región fue Cristóbal de Sotomayor. No está claro el momento en que se dio el primer traslado del asentamiento, pero Sued Badillo teorizó que, para el principio del 1510, Cristóbal de Sotomayor movió el asentamiento cuatro leguas de distancia. Posiblemente las malas relaciones con los caciques del lugar "Agueybana y Huyucoa" y las condiciones particulares del área fueron factores que muy bien pudieron haber abonado a que Cristóbal de Sotomayor moviera el lugar a donde se estableció la llamada Villa de Sotomayor. Esta última fue quemada entre el 1510 y el 1511. Como resultando muere su principal poblador y una cantidad determinada de vecinos. De los restos de esta última, a base de una Real Cedula del 23 de febrero del 1512, se ordenó a

Luego para el 1515, el régimen de encomiendas esclavizó aún más al indio y no fue hasta las Leyes Nuevas del 1542 que oficialmente se acabó con la esclavitud del indígena. Las primeras décadas de la colonización de Puerto Rico se caracterizó por la búsqueda de la explotación de los recursos locales, específicamente la minería, y la estabilización de una nueva sociedad.

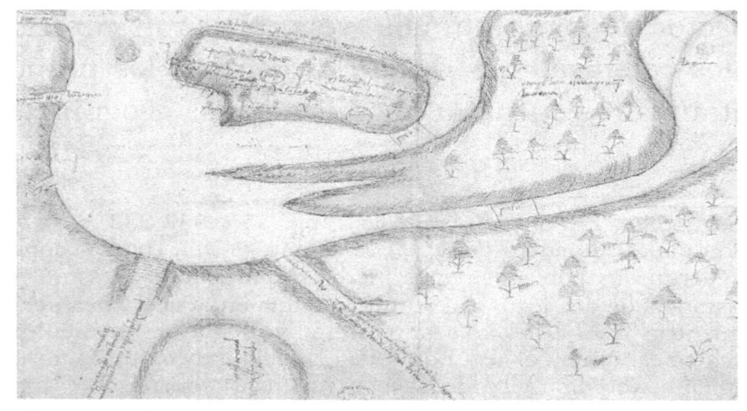

Plano de la isleta de San Juan en el 1519, realizado por Rodrigo de Figueroa. AGI, Mapas y Planos, Santo Domingo, 1.

Juan Cerón que estableciera un pueblo en el lugar en donde los indígenas habían destruido el pueblo anterior. Esta misión se le dio a Miguel Díaz de Aux. El nombre de San Germán proviene previamente sugerido por el almirante. La ubicación del nuevo poblado de San Germán se quedó intacto hasta el 1528, cuyo traslado se dio a la región que hoy conocemos como Añasco. Esto último, debido a la quema del antiguo asentamiento por parte de corsarios franceses. Todo este proceso histórico es fundamental comprenderlo para así entender mejor la dinámica fundacional de un pueblo.

Terremotos en el Siglo XVI

En Puerto Rico, la primera nota que se tiene registrada de terremotos la teorizó Aurelio Tío. Según este autor, para alrededor de 1528, la casa de Juan Ponce de León, ubicada en el área oeste de Puerto Rico, fue destruida totalmente.[31] Tal vivienda era de piedra, esto último era común en lugares como villas y ciudades, especialmente para las personas que se consideraban primeros y principales pobladores de los asentamientos.[32]

Además, otras viviendas en la región que hoy conocemos como Añasco, también sufrieron daños con los temblores de tierra sentidos en 1528. El remozo debió sentirse en toda la porción oeste de la Isla. En esta primera parte del periodo colonial, las autoridades reales desconocían por completo la ciencia que provocaba los terremotos y temblores.

Los pocos registros documentales encontrados hasta ahora sólo apunta a comentarios relacionados con la vibración de tierras y en la mayoría de los casos tales vibraciones, habían dejado algún daño estructural en varias edificaciones importantes. El 2 de diciembre de 1562 sucedió un terremoto en la isla de La Española. La ciudad llamada Concepción de la Vega quedó en escombros incluyendo su catedral. Lo único que quedo en pie de la Catedral, construida en piedra y tejas, fue la legendaria cruz del Santo Cerro. Esta

---

[31] Aurelio Tío, *Fundación de San German,* San Juan, Biblioteca de Autores Puertorriqueño, 1970, p. 72.

[32] Archivo General de Indias (AGI), Santo Domingo (SD), 9, N.35. En la legislación del 15 de enero del 1529 se estipuló que las principales casas de los pobladores debían hacerse en piedra, tanto en las villas como en las ciudades.

ciudad, en ese momento histórico, estaba ubicada casi al centro de la isla.[33]

La magnitud de los daños reportados puede hacer pensar que las ondas de este potente sismo se debieron sentir en la región oeste de Puerto Rico. Esta idea la teorizo debido a que hubo casos en donde temblores fuertes registrados en Santa Domingo se han sentido en Puerto Rico.[34] El autor Alexis Perry, en su clásica obra *Surles Tremblements de Terre aux Antilles,* mencionó que en el área de las Antillas sucedieron varios terremotos que a su vez habían sido registrados en el siglo XVI.[35] Pero no existen movimientos sísmicos que se hayan informado o que sus efectos se sintieran a nivel local.

Lamentablemente, hasta ahora la historia local ha guardado un silencio sobre este tema. Sin duda alguna, gracias a los adelantos tecnológicos, tenemos el conocimiento de que hay áreas que tiemblan más que otras; lo cual se aprecia en las zonas cercanas a los bordes de las placas tectónicas. Teorizamos que, en estos tres primeros siglos de colonización, el tema de los temblores y terremotos era un tema transmitido solo por la historia oral entre la población local. Otro

---

[33] Johannes Mier, *Historia de la Iglesia en América Latina, Tomo IX Caribe*, España, Ediciones Sígueme, 1995, pp. 38-39. Los daños en la Catedral de la Vega, y en la misma ciudad, causó que el poblado se moviera más al norte y se construyera una iglesia más sencilla. Para el 1577 todavía se hablaba del temblor en documentos; y la iglesia en 1583, había sido construida de manera modesta, lo cual causaba problemas de organización. La población de la Vega había disminuido, aparentemente, a causa de los efectos del terremoto. El fuerte temblor de 1562 se sintió en Santiago, que estaba ubicado al norte de la Vega.

[34] Para el 4 de agosto del 1946, se registró un temblor con epicentro al sur de República Dominicana y se sintió en Puerto Rico.

[35] Adolfo de Hostos, *Tesauro de Datos Históricos*, tomo V, Río Piedras, Editorial de la Universidad de Puerto Rico, 1993, p. 468.

aspecto interesante que abona a la falta de información relacionada con el tema es que, debido a la sencillez de la mayoría de las viviendas de la época, "bohíos y yaguas"[36], era difícil que se precisara en los documentos los daños causados por los eventos naturales de un terremoto e incluso, lo mismo sucedía, con los huracanes. Las edificaciones construidas en piedra y tejas eran las mayores a sentir embates de sismos fuertes. Los temblores y terremotos fuertes no sucedían muy seguidos, estas estructuras de piedras solían sentir algún daño periódicamente por los ciclones tropicales.[37]

La falta de pobladores durante todo el siglo XVI ayudó a que los relatos de temblores y terremotos no

---

[36] AGI, SD, 179, Ramo 1, número 4. *Documentos Históricos de Puerto Rico, 1544-1580,* tomo 4, Centro de Estudios Avanzados, 2009, pp. 195-210. Juan Maldonado indicó que en sus terrenos había 60 personas entre blancos y negros, además que había un total de 12 bohíos en los terrenos de su propiedad. Esto da una idea de que las personas vivían en casas sencillas, en las cercanías de una casa principal. Esta información es datada para el otoño de 1564, en donde se registró un ataque de indios Caribe en el área del Guayama, "actualmente Patillas". A lo largo del siglo XVI, este fue el modo de vivir de las personas en Puerto Rico. El estilo de una hacienda de roca y tejas, con bohíos a su alrededor, se dio en los cuatro puntos cardinales de la Isla. Esta visión demográfica era prácticamente una versión del estilo medieval trasplantado a Puerto Rico durante ese periodo. Para más información sobre las personas con hacienda y estancia en Puerto Rico véase Elsa Gelpi Baiz, *Siglo en Blanco: Estudio de la Economía Azucarera en Puerto Rico del siglo 16 (1540-1612)*, Río Piedras, Editorial de la Universidad de Puerto Rico, 2000, p. 237. Otro trabajo que analiza profundamente este tema es un trabajo inédito de nuestra autoría titulado *La Historia de la Construcción de la Vivienda en Puerto Rico*, 2015, obra inédita. Aquí poseemos una gran cantidad de fuentes describiendo el patrón de vivienda en la Isla en los primeros siglos.

[37] Para más información de los huracanes y ciclones tropicales véase Luis Caldera Ortiz, *Historia de los ciclones y huracanes tropicales en Puerto Rico*, Lajas, Editorial Akelarre, 2014.

se registraran.[38] Sobre ello, los obispos Mercado y Salamanca escribieron en varias ocasiones preocupados sobre la poca población[39] e incluso los gobernadores de los territorios referidos informaban la misma particularidad e incluso mostraban miedo a que se despoblara la Isla.[40] A esto añadimos el miedo producido por

---

38 AGI, SD, 155, R.2. N.8. Carta del Gobernador de Puerto Rico, 12 de junio del 1536. El gobernador de Puerto Rico tenía miedo de que la Isla se despoblara por las riquezas del Perú. Los vecinos y moradores estaban dejando todo atrás para buscar buena fortuna a los terrenos suramericanos. A base de eso, en la época se desarrolló un dicho titulado "Dios nos lleve al Perú".

39 AGI, SD, 172. Carta del Obispo Mercado al Rey de España, 1 de marzo del 1574. AGI, SD, 172. Carta del Obispo Fray Diego de Salamanca al Rey Felipe II, 6 de abril del 1579. Ambas cartas son una muestra de las quejas de los obispos sobre la falta de la población, lo cual afectaba el recogido de diezmos y esto provocaba problemas para el sustento de la Iglesia.

40 AGI, SD, 155, R.7. N.50. Carta del gobernador de Solís al Rey, 15 de marzo del 1574. Aquí el gobernador indicaba que la Isla tenía poca gente y temía que se despoblara. Además, indicaba que había mucho ganado realengo en los montes y pocos vaqueros para casarlos. Algo parecido lo manifestaba el gobernador Juan de Céspedes al Rey, este argumentaba que la Isla se estaba despoblando y era necesario traer gente. Además, solicitaba que se establecieran tres pueblos adiciones para fomentar la población dispersa. Según el reporte en la Isla había cincuenta ingenios, estimaba que estos producían mil arrobas anuales. Se proponía añadir más esclavos para aumentar la producción a cuatro mil arrobas. Al final del expediente, el gobernador pidió la friolera de tres mil esclavos a la Corona, la mayoría de estos iban a ser destinados para el cultivo del azúcar. AGI, SD, 155. R.9. N.65. Carta del gobernador Juan de Céspedes al Rey, 20 de septiembre del 1580, titulado *Memorial y Relación de las cosas que el capitán Juan de Céspedes gobernador de la isla de San Juan de Puerto Rico hizo a su Mag. en el Real Consejo de Indias.* Pensamos firmemente que estas peticiones hicieron que el 21 de marzo del 1581 el rey Felipe II ordenara que se hiciera un estudio sobre la isla de Puerto Rico. Sobre esto último véase a Álvaro Huerga, *Historia Documental de Puerto Rico: Primeros Historiadores, 1492-1600*, Ponce, Universidad Católica de Puerto Rico, 2004, pp. 121-131. Aquí se detalla que las preguntas fueron terminadas de formularse el 21 de marzo del 1581, en total fueron 50 preguntas relacionados con temas geográficos, demográficos, político, climático y eclesiástico de la isla de Puerto Rico. Las mismas indicaciones fueron hechas al Obispo, este envió la contestación de su informe el 1 de enero del 1582. Para más información sobre esto véase AGI, SD, 172. *Relación hecha en Puerto Rico por el obispo de San Juan al Consejo de Indias, en cumplimiento de una Real Cedula hecha en Madrid, 5 de marzo del 1581.* Enviada la relación el 1 de enero del 1582.

los continuos temblores, que son un fenómeno que sucede a diario. Nuestros jibaritos solían sentirlos continuamente, por lo que para ellos era un fenómeno común, el cual explicaremos más adelante. Por último, hasta el momento no existe un estudio aún centralizado por algún historiador local basado en fuentes del Archivo General de Indias. Estos argumentos pueden ayudar a explicar bastante el silencio de la historia local sobre este tema en el siglo XVI, XVII y XVIII.

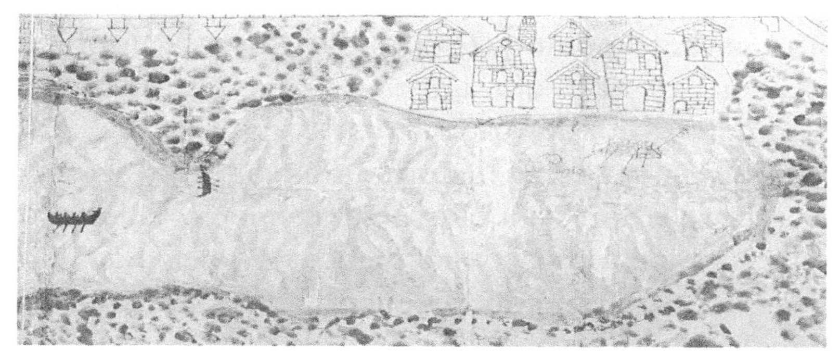

Principales estructuras en la Ciudad de Puerto Rico en la década del 1580. Notase que eran pocas las construidas en piedra. Archivo de Indias, Mapas y Planos, Santo Domingo, 8.

Terremotos en el Siglo XVII.

Entrando en el siglo XVII, el panorama histórico de Puerto Rico era uno similar al del siglo anterior. Demográficamente hablando, existían solo cuatro poblaciones al principio del siglo, estas eran: San Juan, San German, Coamo y Arecibo. El flujo de la población esclava era poco y la economía de Puerto Rico se concentraba en el ganado, jengibre y el azúcar. Las primeras noticias de fuertes temblores en Puerto Rico las ofreció el gobernador Felipe de Beaumont, en carta al Rey, fechada el 13 de noviembre del 1615, este expreso lo siguiente:

> Digo, señor, que a los ocho del mes de septiembre permitió Dios, por nuestros pecados, darnos un temblor de tierra que parecía que venían las casas al suelo, y a los doce del dicho mes destruyo casi toda esta isla con un tan gran pie de viento que parecía ira de Dios...[41]

Por lo que se puede apreciar la Isla sintió un terremoto bastante notable[42], tan es así que la impresión del gobernador era que las casas de piedra y madera se caían. Para colmo, cuatro días después vino el azote de un temporal que lo historiadores lo registraron con el nombre de San Leoncio.[43] Otro aspecto interesante es que, debido al desconocimiento en la población de aspectos científicos sobre los fenómenos naturales, se achacaba el suceso a la ira de Dios provocada por los pecados humanos. Era de esperarse ese comporta-

---

[41] Pío Medrano, *angustia, destrucción, pobreza y muerte: Los huracanes del 1615 y 1642 en Puerto Rico*, articulo digital, recuperado el 28 de agosto del 2011, p. 21. El autor obtuvo su información del AGI, legajo 165. Se indica que el 22 de septiembre del 1615 el gobernador se reunió con los miembros del Cabildo de San Juan para hacer un informe del pésimo estado de la situación de la Isla a causa del ataque inglés del 1598, la desgracia hecha por varios temblores de tierras y por último el huracán del 12 de septiembre. Se debe añadir que a mediados de 1642 ocurrió un terremoto que afectó la Ciudad de Santiago de León de Caracas en Venezuela; información obtenida del AGI, SD, 870, L. 11, f. 107v-108v, Carta de oficio del Rey al Obispo de Venezuela, 5 de noviembre de 1642.

[42] Johannes Mier, *Historia de la iglesia...*, p. 30. Se informó que para el 1614, se registró un temblor en la Ciudad de Santo Domingo, posiblemente se pudo haber sentido ese temblor en la costa oeste de Puerto Rico.

[43] Para más información de este huracán véase Luis Caldera Ortiz, *Historia de los ciclones y huracanes...*, pp. 34-36.

miento, debido a que la comunidad católica y gubernamental, desconocían en ese momento que ambos fenómenos eran procesos naturales del planeta.

A los diez días de pasar el huracán San Leoncio, el gobernador y el cabildo de San Juan se reunieron para informar a España sobre los temblores que habían sucedido en Puerto Rico días antes del huracán del 12 de septiembre del 1615.[44]

En el informe recogido por el cabildo, el procurador general de la ciudad, Diego Benítez de Luyando informó que una serie de temblores fuertes antecedieron unos días antes del huracán. La mayoría de los testigos indicaban que el temblor de tierra se experimentó el día 7 de septiembre entre las once y doce horas de la noche y su duración fue de un cuarto de hora o 15 minutos.[45]

Estos temblores representaban para los testigos[46], una premonición del evento grande que los afectó días después. Esta información hace indicar que el fuerte temblor se sintió en la noche del día 7 y madrugada del día 8, por lo que los testigos, prácticamente, concordaron con su testimonio. A esto se le añade que estos temblores se siguieron sintiendo en la Isla por los

---

[44] Medrano, *Angustia, destrucción...*, p. 21, el autor obtuvo esto del AGI, 165.

[45] Ibíd., p. 23.

[46] Ibíd., p. 22. Los testigos fueron Nicolás Lanfruco, de 67 años, vecino de la ciudad; el licenciado Luis de Lima, que era médico, tenía 50 años y era vecino de la ciudad; el tercero, Gutiérrez Muñoz de Moya vecino de la ciudad de 50 años; el cuarto, Vicente López, era procurador de causas y tenía 55 años; el quinto, Martin Pérez de Achotegui Olaso, capitán de una compañía de infantería del presidio, tenía 48 años; el sexto era Juan de Amezqueta, capitán de otra compañía del presidio, 47 años; el séptimo, Sebastián de Ávila, capitán de la compañía de gente de la ciudad, fiel ejecutor y vecino de la ciudad, 40 años. Se le añade Diego Rodríguez de Castellano, vecino de la ciudad de 70 años; Juan Sánchez Maraver, vecino de 60 años; y Diego López de Rivera de 70 años. Se puede apreciar que testificaron las personas de mayor edad y respetadas de la ciudad.

siguientes días. Se puede apreciar, que, a base de la información de los testigos hubo un sismo bastante fuerte en este periodo histórico.

La actividad sísmica, al parecer continuó, sintiéndose con el pasar de las semanas el 8 de diciembre del mismo año un temblor en la isla de La Española que también fue sentido fuertemente en el área oeste de Puerto Rico.[47] La investigación realizada a la correspondencia de los gobernadores, obispo y el cabildo de San Juan, no nos indica la presencia de un evento sísmico de magnitud en Puerto Rico por las siguientes décadas de este siglo.

Un caso notable y posiblemente relacionado indirectamente con nuestra Isla fue el temblor ocurrido el 9 de junio del 1672, a las seis de la mañana, en la Ciudad de Santo Domingo. La magnitud del terremoto fue bien fuerte, las principales estructuras de piedra y tejas, como el Palacio Real y el Convento de San Francisco quedaron inoperables.[48]

---

[47] Luis Díaz Hernández, *Temblores y terremotos de Puerto Rico*, 2ª ed., Ponce, 1985, p. 14.

[48] AGI, SD, 62, R.6. N.41. Correspondencia de la Audiencia al Rey, 17 de junio del 1672. Las siguientes estructuras sufrieron daños: la Catedral sufrió daños en su sala capitular y en el campanario; la iglesia de Santa Clara quedó destruida por dentro; el convento de las Mongas de Reginas quedó totalmente destruido; el convento de Nuestra Señora de las Mercedes se le cayó la torre, el claustro y algunas capillas conglomeradas a su alrededor; el hospital de San Nicolás, hecho de buen material o "ladrillos", se le hundió la bóveda del cuarto principal; los hospitales de las Madres y San Lázaro, se desplomaron con todo lo que tenía adentro; el convento de Santo Domingo sufrió daños internos pero estaba de pie; el fuerte de San Diego sufrió fuertes daños y quedaron tres piezas de pie; las casas estaban necesitadas de reparos; las muertes que se achacaron al fenómeno fueron contabilizada en 24 víctimas. Se daba gracia por haber sido el suceso de día y no de noche, porque las victimas hubiesen sido mucho más. Para el 17 de mayo del 1673 se informaba que el temblor del día 9 de mayo y la falta de cacao hacía que hubiera necesidad entre las personas en la Ciudad de Santo Domingo.

Entendemos que a base de otros ejemplos que hemos vistos[49], las ondas sísmicas debieron haber afectado el área oeste de nuestra Isla, a pesar de que no hay evidencia documental que lo confirme. Históricamente la región oeste, ha sido la más propensa a sentir temblores y terremotos de magnitud fuerte. Eso es debido a algunas fallas en el subsuelo en la parte oeste del Mar Caribe. Desde el principio de la colonización española estos movimientos bruscos del subsuelo se han sentido con intensidad en el área oeste.

Durante el siglo XVII, el crecimiento demográfico en Puerto Rico fue lento y lleno de tropiezos.[50] Aparte de los pueblos existentes mencionados, dos pueblos nacieron en la segunda mitad del siglo XVII, estos fueron: San Francisco de la Aguada establecido en el 1654[51],

---

[49] El temblor sentido en Santo Domingo en el 1946, también se sintió en el lado oeste de Puerto Rico.

[50] AGI, SD, 156. R3. N.35. Carta del Gobernador de Puerto Rico al Rey, 24 de marzo de 1624. Para el 1 de febrero de ese año había llegado un barco llamado Santa Ana del maestre Juan de Almeyda, procedió a dejar 153 arrobas de azúcar y 16 libras de azúcar blanco. Varias semanas después otro barco llamado Señorita Cue con el maestre Antonio López dejo 325 arrobas de azúcar blanca y 129 quintales de jengibre. El gobernador le informo al Rey de estas donaciones. Otro ejemplo encontrado en el AGI, SD, R.1. N.6. Carta del Gobernador José Novoa y Moscoso al Rey, 15 de noviembre de 1658. Aquí el gobernador solicitaba ropa y esclavos, la Isla estaba necesitada por culpa de la tormenta de agosto de 1657. Otro caso del AGI, SD, 163. R.2. N.12. Carta del Gobernador Juan Franco de Medina al Rey, 10 de marzo de 1697. El gobernador le solicita al Rey 300 esclavos de España, que se enviara de Santo Domingo 500 fanegas de Maíz, 400 arrobas de casabe, harina y azúcar.

[51] AGI, Escribanía de Cámara, 122. Juicio de Residencia del Gobernador Aguilera y Gamboa. Obtenido de la Colección Monseñor Murga, en la Universidad Católica de Puerto Rico. El juicio del gobernador Aguilera duró poco, debido a que tal persona fue llevada a la Inquisición por blasfemia. Se resume en el expediente, que para el 1651, el gobernador había ordenado junto al obispo hacer un convento en el lugar de la Aguada y una de las razones había sido por la facilidad de puerto. Para el 1654, el propio gobernador informaba que había nombrado un Teniente Capitán a Guerra en tal sitio (A.G.I.S.D. 158. R.3. N.44.Testimonio del gobernador Diego de Aguilera, 13 de marzo de 1654).

y el pueblo de Nuestra Señora de Guadalupe de Ponce establecido para la década del 1680[52]. A esto añadimos la ribera Boca de Loíza que existía como partido en el 1690.[53]

Uno de los acontecimientos más importantes en la segunda mitad del siglo XVII, era que las guerras entre Carlos II y Felipe XIV de Francia habían convertido el

---

Para el 15 de noviembre de 1658 el gobernador José de Novoa indicaba que Aguada se gobernaba por un teniente pedáneo "AGI, SD, 157". Además, añadía que el puerto era el más importante de la Isla desde varios años aproximados. Todo esto son indicios claro que Aguada se fundó prácticamente 30 años antes según lo que había establecido Salvador Brau; ver a Brau, *Historia de Puerto Rico*, Editorial Edil, 1983, p. 123. Hemos podido consultar la carta del 8 de mayo de 1683, la cual Salvador Brau había citado 100 años atrás. Se indica claramente, que el gobernador Lorenzana quería separar el pueblo de la Aguada de la jurisdicción de San German. Realmente no era una fundación sino un intento de independizar a la Aguada como villa aparte de San German. Sobre esto último véase AGI, SD, 158, R.2. N.25. Carta del gobernador Lorenzana al Rey, 8 de mayo del 1683.

[52] AGI, SD, 161, R.1. N.17. Carta del gobernador Arredondo al Rey, 27 de julio del 1693. *Probanza de Sangre y Méritos de Pedro Sánchez de Matos*. En este expediente, la probanza de Pedro Sánchez de Matos fue hecha entre los días 1 al 5 de octubre del 1680, en la villa de San German. Se identificaba que Pedro Sánchez de Matos era teniente capitán a guerra del pueblo de Nuestra Señora Guadalupe de Ponce. En el mismo expediente, el gobernador Lorenzana había informado que para el 1679 había nombrado al capitán Sánchez de Matos.

[53] AGI, SD, 161, R. 1 N.1, Carta del Obispo de Puerto Rico al Consejo de Indias, 26 de septiembre del 1690. El Obispo informaba que los pueblos de Ponce, Valle de Coamo, el de San Francisco de la Aguada y el de Boca de Loíza eran poblaciones de más de 45 vecinos y tenían parroquias donde se administraban sacramentos. Otra evidencia es que para el 9 de julio del 1690, el gobernador Arredondo mencionaba a Loíza como pueblo en una carta que envió al Consejo de Indias. De las peticiones del gobernador podemos observar que para resolver el problema de la diseminación se quería reunir a los pueblos existente en villas para que tuviesen su propio cabildo. El resultado de esa petición fue que el Rey emitió el 17 de septiembre del 1692 una orden a la Audiencia de Santo Domingo para que los pueblos mencionados, entre ellos Loíza, se convirtieran en villa, siempre y cuando se pudiesen organizar en la Isla. Pero esta orden no tuvo efecto en Puerto Rico. Para más información véase AGI, SD, 159. AGI, SD, 876, libro G-26.

Caribe en una frontera de guerra entre estas dos potencias.[54] Además, la falta de evidencia documental del propio siglo[55], llevó a que la mayoría de los historiadores en Puerto Rico nombraran a esta centuria como el siglo oscuro. A finales del mencionado periodo histórico, hemos encontrado un documento que, a

---

[54] Las guerras en el Caribe cubren un periodo extenso que abarca desde el 1645 cuando se enfrentaron los monarcas de España y Francia por disputas que se reflejaban en la zona. Prácticamente en gran parte del siglo hubo rivalidad entre Francia y España, según Morales Carrión hubo asedios en Santa Cruz en 1635, 37 y 41, pero la única forma de expulsar a los franceses para siempre, era mediante la colonización de tal Isla, pero tal territorio no era viable para la Corona establecer una colonia, véase Arturo Morales Carrión, *Puerto Rico y la lucha por la hegemonía en el Caribe: Colonialismo y contrabando, siglos 16 al 18*, Río Piedras, Editorial de la Universidad de Puerto Rico, 2003, p. 64. Podemos certificar mediante documento que hubo un asedio de las milicias urbanas de Puerto Rico, a la isla de Santa Cruz en 1647. Esto era reflejo de lo agitado que fue ese periodo para todas estas estas pequeñas islas; véase AGI, SD, 156 R.7. N.98. Carta del Gobernador de la Riba al Rey, 7 de junio de 1647. En el 1673, encalló un barco francés en la costa de Arecibo y los piratas fueron tomados prisioneros. A consecuencia de esto, a mediados de tal año, hubo una invasión pirata en la costa oeste de Puerto Rico. Sobre esto último, véase los testimonios de probanza de Pedro Sánchez de Matos y Juan Colon de Torres en AGI, SD, R.1, N.17. Carta del gobernador Arredondo al Rey, 27 de julio del 1693. Probanza de Sangre y Méritos de Pedro Sánchez de Matos y Probanza de Juan Colon de Torres. Véase también el artículo de Walter Cardona Bonet, "El naufragio del L'Escueil en Arecibo, Puerto Rico", *Hereditas, Revista de Genealogía Puertorriqueña*, vol.11., número 2, año 2010, pp. 50-65. A nuestro entender este trabajo es sumamente importante para la historia de los eventos del naufragio en Arecibo.

[55] AGI, SD, 158, R.3. N.32. Carta del gobernador Gaspar Martínez al Rey, 24 de marzo del 1684. El gobernador indicaba sobre el mal estado de los papeles de los archivos de la Ciudad de Puerto Rico "San Juan". Los papeles estaban expuesto a la humedad y a otros riesgos que era a consecuencia de las condiciones tropicales de la Isla. Le suplicaba al Rey, para que enviara medios para poner los archivos en un lugar más seguro. Aida Caro, en su obra el *Cabildo o Régimen Municipal en el siglo 18: Orden y Funcionamiento*, Tomo 1. 1965, pp. 174-179, indicaba que los archivos en San Juan no eran bien tratados en el siglo 18 y se hizo algunas reglas para preservar los documentos, pero aun así muchos de los documentos no sobrevivían a las condiciones del tiempo. Lo mismo pasaba en San German, con el pasar del tiempo los documentos se dañaban y se terminaban quemando. Eso ayuda a entender el porqué de la falta de documentos relacionado a la demografía e historiografía puertorriqueña en los primeros siglos de la colonización.

nuestro entender, es inédito y trae a luz un terremoto sentido en Puerto Rico. De tal documento se cita lo siguiente:

> El Rey. Conde Galve... (sic) del Consejo Justicia y regimiento de la villa de San German de la jurisdicción de la Cuidad de San Juan de Puerto Rico se dio un memorial haciendo diferente representantes y en una de ellas refiere halla en la Iglesia Parroquial de Aguada y el convento de Santo Domingo muy arruinado por su antigüedad y ser de madera y haver caído con los grandes terremotos q a avido mucho daños suplicándome les hiciere nuestra de la caridad y me pareciere (sic) los reparo y fabrica y q esto se les consignen en las cajas Reales de Puerto Rico en el efecto de comisos o otros q fuerense mas propensato. Y vino en mi Consefo de Indias y consultándome he tenido... (sic) de la villa de San German de tresientos pesos de limosna en mis cajas reales de esa cuidad su reedificación y en el ornamento o otra cosa mas precisa y que estos se remita al obispo de Puerto Rico en cuya conformidad... (sic) pa aquella isla con reparación y... (sic) presente y la orden q vos dieredes se recinan y pasan en esto a los oficios de mis Reales Cajas los referentes trecientos pesos pero recando alguno q al obispo de Puerto Rico q despacho de ese dia se le previene eso mismo y esto marca la razón de este despacho lo consiente de mi de las Indias. Fecha en quince de junio del mil y noventa y dos = yo el Rey [sic].[56]

Lo que se puede apreciar es que, en la parte oeste de Puerto Rico, específicamente en el pueblo de San Francisco de la Aguada, hubo una serie de temblores fuertes que hicieron que la iglesia parroquial del mencionado pueblo tuviese daños estructurales. Prácticamente, este temblor inédito en la historiografía puertorriqueña debió suceder en algún momento de a finales del 1691 y principios del 1692. Es debido, a que la aprobación de la concesión de 300 pesos por parte del

---

56 AGI, SD, 904, L.20. Carta del Rey de España a la Audiencia de Santo Domingo, 15 de junio del 1692.

Rey sale de su despacho el 15 de junio del 1692. En la misma cita, se da entender, que hubo en la Aguada una serie de temblores en el mencionado lugar e incluso el convento en Santo Domingo también habían sufrido los mismos efectos. Posiblemente, la ubicación del epicentro de este fenómeno fue originado al noroeste de Puerto Rico o en las cercanías del pasaje de la Mona. Están los indicios claro que, en la parte oeste de la Isla, hubo actividad sísmica fuerte en el mencionado periodo.

A base de esta información y lo que se ha encontrado previamente sobre el siglo XVII empezamos a ver una tendencia marcada con relación a que los grandes sismos suceden o afectan a Puerto Rico mínimamente dos veces por siglo. Hasta ahora, un reporte del obispo Francisco de Padilla en el 1685, achacando a los constantes terremotos en el área Oeste tenían a la iglesia parroquial dañada constantemente.[57]

Lamentablemente, esta es la única información relacionada con terremotos informados en los documentos encontrados referentes al siglo XVII en Puerto Rico. He tenido la oportunidad de ver cientos de cartas de gobernadores y obispos de Puerto Rico al Consejo de Indias y al Rey, relacionadas a la centuria, pero ninguna ofrece una pista sobre la ocurrencia de algún comportamiento continuo de temblores fuertes.

---

[57] AGI, SD, 165. Probanza de los vecinos de San German.

Los informes registrados en las cartas se limitan mayormente a hablar de los ataques de corsarios franceses[58], indios caribes[59], la falta de situado[60], las plagas tropicales[61] y la visita frecuente de temporales.[62]

---

[58] Walter Cardona Bonet, "El naufragio del L'Escueil en Arecibo, Puerto Rico", *Hereditas, Revista de Genealogía Puertorriqueña*, vol.11., número 2, año 2010, pp. 50-65. Aquí se habla todo lo relacionado con el ataque de los corsarios franceses en Puerto Rico en el 1673. AGI, SD, 162, R.2. N.48. Carta del gobernador Juan Franco de Medina al Rey, 18 de febrero del 1696. Aquí se informó que se expulsaron unos corsarios franceses en un paraje que se llamaba Rincón de la jurisdicción del pueblo de la Aguada.

[59] AGI, SD, 170. Expedientes de los vecinos del Valle de San Blas de Coamo, Jurisdicción de Puerto Rico, en solicitud de que se les ponga cura y sacristán en la Iglesia que se han fabricado y que sus salarios sean pagados por la Real Caja. Expediente conseguido gracias al coameno Eduardo Colon. Para el 14 de septiembre del 1616 se notificó que los vecinos de Coamo defendían el valle de los ataques caribes y de los corsarios que iban a tomar agua de los ríos del mencionado pueblo. Hemos notado que después del 1630, los documentos dejaron de mencionar a los indios caribes.

[60] AGI, SD, R.3. N.32. Carta del gobernador de Puerto Rico al Consejo de Indias, 13 de noviembre del 1623. Aquí se alude a la pobreza de la isla por la falta del situado. AGI, SD, R.5. N.61. Carta del gobernador de Puerto Rico al Consejo de Indias, 20 de febrero del 1635. Aquí se informa de la falta del situado. AGI, SD, 162, R.1. N. 2. Carta del Gobernador Arredondo al Rey. 26 de marzo de 1695. En el documento, el Rey había concedido un crédito para pagos atrasados a los soldados en la fecha del 9 de abril de 1693. Esto evidencia los continuos atrasos del situado durante el siglo XVII. Véase los trabajos de Enriqueta Vila Vilar, *Historia de Puerto Rico, 1600-1650*, Sevilla, Escuela de Estudios Hispanoamericanos, 1974. Véase sección de situado en Ángel López Cantos, *Historia de Puerto Rico, 1650-1700*, Sevilla, Escuela de Estudios Hispanoamericanos, 1974.

[61] Para el 1628, en el AGI, Indiferente General, 195, N. 64 se registró una plaga en la Isla, justamente 2 años después del paso del temporal San Nicomedes. El historiógrafo Tomas de Córdova en su obra *Memorias*, aludía constantemente que después del paso de un temporal o huracán, venia una plaga de gusanos que arruinaba toda la comida. Para el 1647-48, se registró una epidemia donde murieron sobre 800 personas, véase a Picó, *Historia general...*, p. 105. AGI, SD, 158, R.2, N.25 Carta del gobernador Lorenzana al Rey, 8 de mayo del 1683. Aquí el gobernador informó que en San Juan murieron sobre 250 personas por una plaga ocurrida en 1681. Para el 1683, hubo una plaga en el pueblo de Coamo, sobre esto véase a Ramón Rivera Bermúdez, *Historia de Coamo: La villa aneja*, tomo 2, Coamo, Editorial Acosta, 1992, pp. 95-96. Tomada la información de las hoy desaparecidas Actas de la Cofradía de la Virgen Balvanera 1683-1685. AGI, SD, 159. Carta del Gobernador Arredondo al

Aparentemente, la inmensa mayoría de los gobernadores que estuvieron en Puerto Rico durante esta centuria achacaban a estos cuatro eventos la culpabilidad de la falta de fomento económico y social de la isla de Puerto Rico. Esto nos hace entender que los terremotos fuertes en Puerto Rico fueron muy pocos a pesar de que la tierra, de una forma u otra, tiembla todos los días. Por lo que la poca ocurrencia de terremotos fuertes en la Isla hacía que los gobernadores no utilizaran los terremotos como excusa, para argumentar el estado pésimo de la isla de Puerto Rico en el siglo XVII.

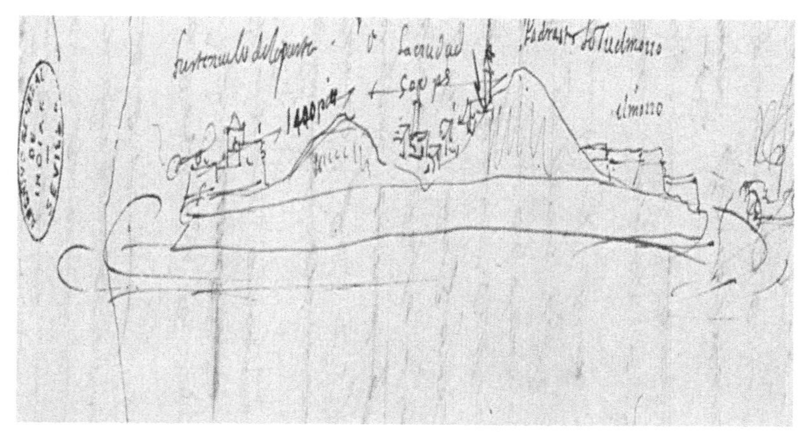

Perfil de la Ciudad de San Juan en el 1630, esta descripción aparece como parte de un informe de seguridad enviado al Rey. AGI, Mapas y Planos, Santo Domingo, 36.

Rey, 29 de mayo de 1690. Ente el 1689 y 1690 se reportó una plaga general de viruela, en los pueblos de Ponce, Arecibo, Coamo, San Juan y Aguada, en la cual se murieron sobre 550 personas. El gobernador Juan Franco de Medina informó más tarde que en la peste general se murieron más de 500 esclavos y la Isla estaba falta de este insumo. Véase AGI, SD, 163. R.2, N.12, Carta del gobernador Juan Franco de Medina al Rey, 10 de marzo de 1697. Para un mejor informe sobre este tema véase Luis Caldera Ortiz, *Las pestes en Puerto Rico, 1681-1697: Muerte y Desolación en la isla de San Juan Bautista de Puerto Rico*, Coamo, Imprenta Costa, 2014.

[62] Luis Caldera Ortiz, *Historia de los ciclones y huracanes...*, 2014.

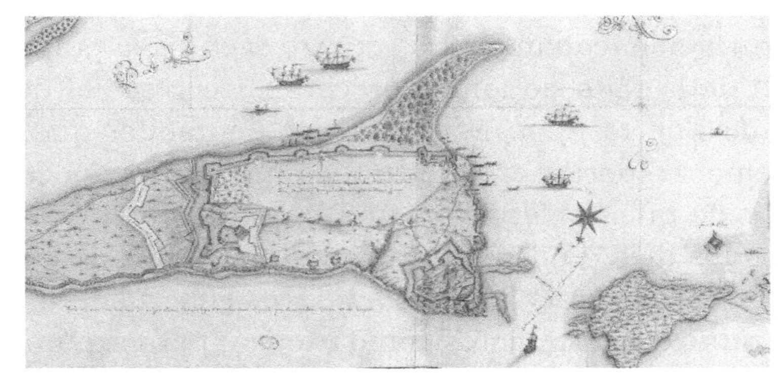

Plano de la isleta de San Juan realizado por Luis Venegas de Osorio en el 1678. AGI, Mapas y Planos, Santo Domingo, 74.

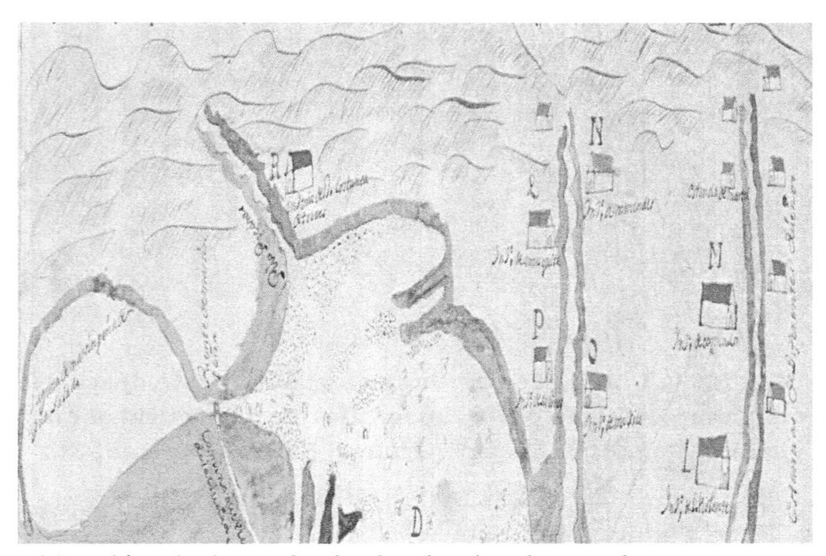

Ubicación de las principales haciendas en las zonas que hoy conocemos como Toa Baja, Bayamón y Río Piedras. AGI, Mapas y Planos, Santo Domingo, 60.

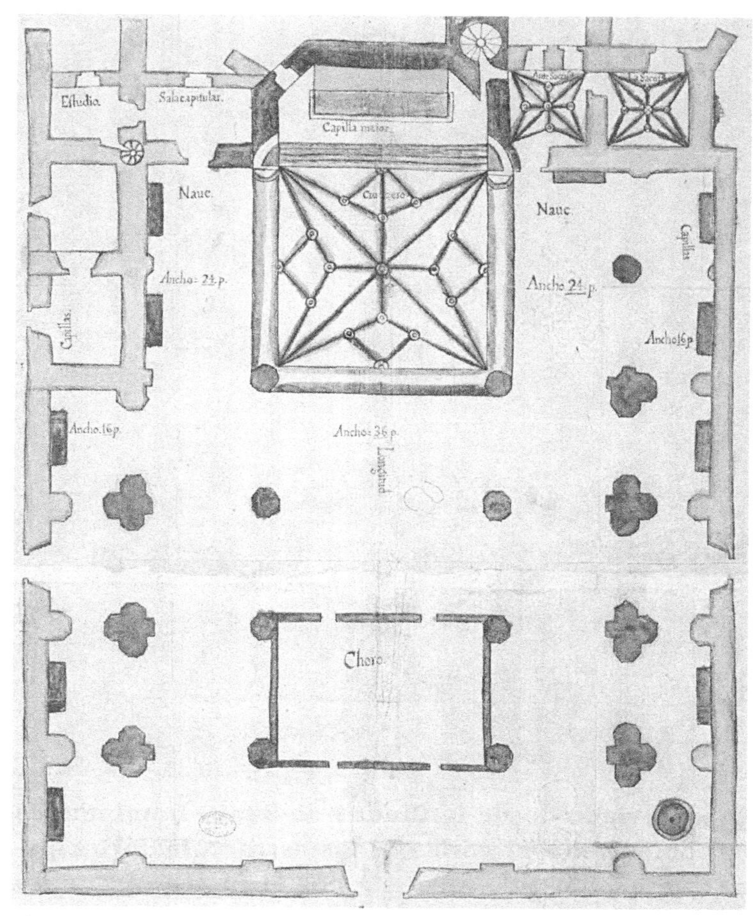

Plano propuesto en el 1684 para la Catedral de San Juan. AGI, Mapas y Planos, Santo Domingo, 85.

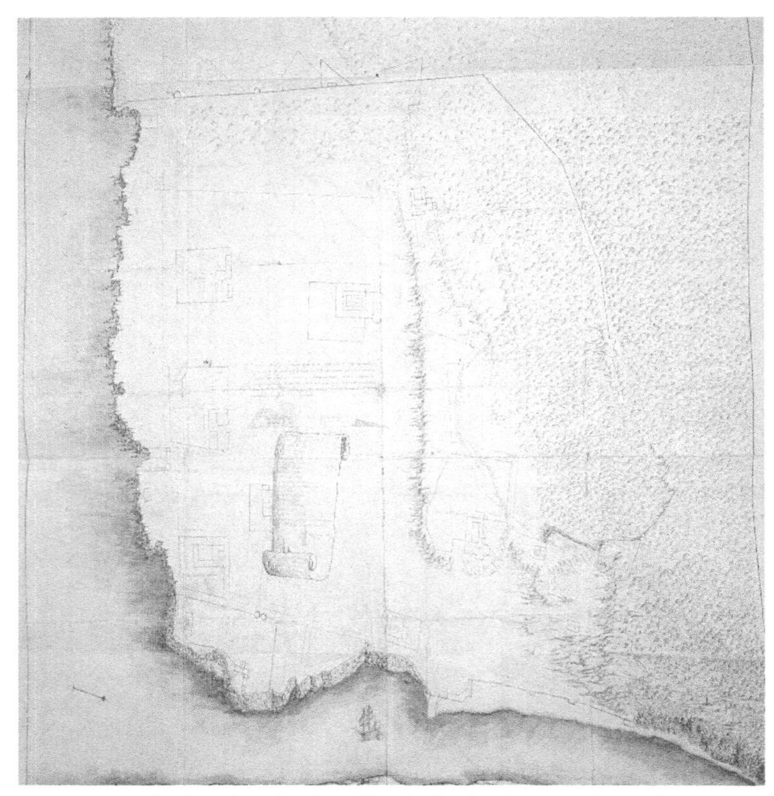

Mapa enviado desde la Ciudad de Santo Domingo; se proponían rehacer varias de las estructuras principales que habían sido afectada por el fuerte terremoto del 1672. AGI, Mapas y Planos, Santo Domingo, 67.

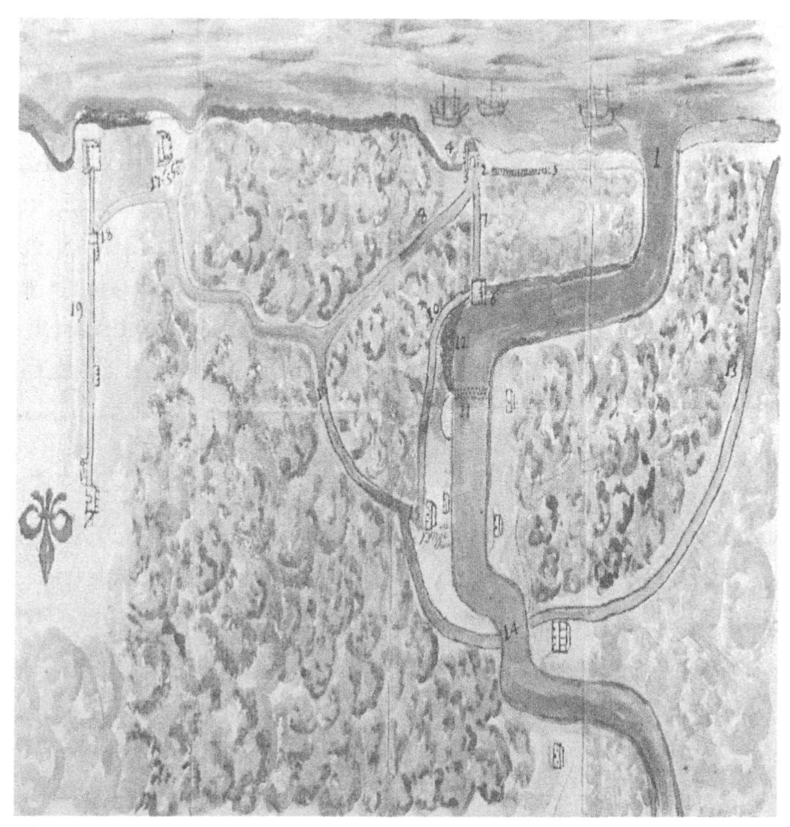

Plano de campo de la Ciudad de Santo Domingo, luego de haberse realizado los arreglos pertinentes en 1679. AGI, Mapas y Planos, Santo Domingo, 77.

Terremotos en el Siglo XVIII

Entrando en el siglo XVIII, el panorama histórico de Puerto Rico era igual o peor al sufrido en los siglos anteriores. Historiográficamente existe un vacío de información relacionada con la Isla en la primera mitad del siglo XVIII. Lo que se sabe mayormente es que existía una pequeña cantidad de pueblos establecidos en Puerto Rico.[63] La economía de la Isla dependía mayormente del situado y del contrabando. La información relacionada con cualquier tema, en esta primera parte de la centuria del XVIII, es sumamente escasa. Para el año 1717, se ha teorizado que un hubo un fuerte sismo que se sintió en toda la Isla. Las fuentes indicaron que este terremoto destruyó la Iglesia de San Germán y Arecibo.[64] Lamentablemente, no contamos con más información referente al dicho acontecimiento.

El próximo reporte sobre un movimiento sísmico de magnitud se registró el 30 de agosto del 1740. El fuerte temblor destruyo la iglesia de la Guadalupe en Ponce.[65] Posiblemente, los efectos de ese fuerte temblor debieron sentirse en varios lugares de la Isla. Curiosamente, unas semanas después pasó por Puerto Rico un temporal cuyo nombre fue San Vicente. La

---

[63] Algunos de los municipios que ya existían para 1750 eran: San Juan, San German, Coamo, Arecibo, Aguada, Ponce, Loíza, Caguas, Río Piedras, Añasco, Manatí, La Tuna, Utuado y Guayama. El sitio de Yauco se estaba intentando erigir como pueblo en esa época. Para más información sobre los asentamientos informados por el obispo Antolino véase Vicente Murga y Álvaro Huerga, *Historia Documental de Puerto Rico: Episcopologio de Puerto Rico; De Pedro de la Urtiaga a Juan Zengotita (1706-1802)*, tomo IX, Ponce, Universidad Católica de Puerto Rico, 1990, pp. 343-356.

[64] Díaz Hernández, *Temblores y terremotos...*, p. 14.

[65] Eduardo Newman Gandía, *Verdadera y autentica historia de la Ciudad de Ponce*, edición Facsímil, 1913, San Juan, Instituto de Cultura Puertorriqueña, 1987, p. 217. El autor indicó que había encontrado la información en unos libros parroquiales de la ermita San Antonio Abad y estos se quemaron después de un incendio.

poca documentación relacionada con esta tormenta nos indica que las pérdidas de fruta y ganado fueron cuantiosas.[66] La vida de los campesinos criollos y esclavos en Puerto Rico no debió haber sido fácil durante ese momento.

El próximo temblor que aparece registrado sucedió en la noche del 28 de agosto del 1772. Tal movimiento sísmico lo reportó fray Iñigo Abbad y Lasierra. Este estaba recorriendo la Isla y esa noche se quedó en el pueblo de Aguada. Con relación al temblor, el fraile expresó lo siguiente:

> Un trueno sordo y continuo que ocupaba toda la esfera, el ruido de las aguas, semejante al que se oye cuando se aproxima algún aguacero grande, la vista espantosa de continuos relámpagos y un temblor lento de la tierra acompañaban al furioso viento...[67]

Claramente, el fraile logró sentir algunos movimientos sísmicos. La inmensa mayoría de los historiadores explican esto como un evento aislado del propio temporal. Por mi parte tengo algo de duda, esto debido a que es imposible saber la magnitud de tales temblores. Es muy posible que el propio cronista estuviese en una estructura bien cimentada y la misma presión que hace el choque del viento con la infraestructura provocara los supuestos leves temblores de tierra. Este efecto de choque del viento con la estructura, junto con la humedad del suelo, causada por la lluvia hace que la casa se tambaleara. Sin el conocimiento debido, este efecto en cadena se puede interpretar como un

---

[66] Luis Caldera Ortiz, *Historia de los ciclones y huracanes...*, p. 53.
[67] Abbad y Lasierra, *Historia Geográfica...*, p. 431.

sismo telúrico.[68] Esto último es una hipótesis personal y carece de una validez científica. Una idea interesante la ofrece fray Abbad y Lasierra en relación sobre la perspectiva general del fenómeno de los terremotos:

> Más frecuente son los terremotos, aunque sin otras consecuencias que el susto que causan sus movimientos: por estos son pocos temibles de sus habitantes quienes los predicen por el conocimiento práctico que tienen estos accidentes de la naturaleza. Cuando observan que en quebradas o obras por mucho tiempo o que en las aguas de los manantiales se percibe algún olor sulfúrico o sabor extraño del natural: que las cotorras, periquitos, cuervos u otras aves se junten en grandes bandas y van dando muchas vueltas con mayores graznidos de lo regular: que las vacas y caballos repiten con frecuencia sus mugidos y relinchos, son señales seguras de terremoto.[69]

Lo que indica claramente esta cita, es la visión existente en la época de la segunda mitad del siglo XVIII acerca de los terremotos. Se puede apreciar que el cronista acepta que los movimientos sísmicos son más frecuentes que los propios temporales, por eso son pasados prácticamente por desapercibidos. Al ser movi-

---

[68] Según el historiador Adolfo de Hostos, en la tormenta de San Agapito, el 18 de agosto del 1751, se sintió un temblor. Curiosamente, algunas personas han comentado que, en el 1998, durante el huracán Georges, sintieron temblores de tierra. Esto podría ser evidencia de un efecto en cadena causado por el viento y la humedad del suelo, que causa que la estructura tenga un movimiento telúrico leve. Para evidenciar un temblor separado con los efectos de una tormenta, debe tenerse un sismógrafo para medir aparte las ondas sísmicas. Otro aspecto interesante es que la tierra al temblar todos los días lleva a que las ondas de bajo nivel sísmicos puedan intensificar su percepción con los efectos provocados por el huracán. Esto puede causar un efecto en cadena, la cual Abbad y Lasierra pudo haber experimentado y descrito en su crónica durante el huracán del 28 de agosto del 1772. Sobre San Agapito véase Adolfo de Hostos, *Tesauro...*, tomo V, p. 468.

[69] Abbad y Lasierra, *Historia Geográfica...*, pp. 431-432.

mientos no tan fuertes, solían ser comunes para la población en general. Esto puede explicar bastante, el porqué de la falta de fuentes documentales referente a terremotos en todo el periodo de los primeros siglos de la colonización española en Puerto Rico. Hasta ahora, se puede deducir que en Puerto Rico hubo pocos terremotos de magnitud grande que hayan sido suficientemente dañinos para que estos se informaran en España. Sobre la relación de las viviendas de los habitantes en Puerto Rico, fray Iñigo expresó lo siguiente:

> La construcción de las casas sobre vigas y su unión afranzada por la mayor parte con bejucos que dan de sí, dejando jugar libremente las vigas y tablas de que se componían hacia la parte que las impelen el vaivén o terremoto, evitan las ruinas que causaría que hallase resistencia o solidez en los edificios...[70]

Lo que claramente se demuestra en la anterior cita, es el estado de las casas, las cuales eran hechas de vigas con bejucos de monte. Esto ayudaba a que se evitaran daños en las estructuras y esto protegiera a la población local. Los edificios solidos eran lo que mayores daños sufrían con las oscilaciones sísmicas. Irónicamente, eran los menos que existan por milla cuadrada en Puerto Rico.

Esta dinámica de construir las casas así no era tanto por protegerse de los propios temblores, sino debido a la pobreza de la mayoría de la población y a las pésimas condiciones de los caminos en Puerto Rico. Esto último hacía que fuera dificil transportar piedra desde las canterías principales a los pueblos alejados

---

[70] Ibíd., p. 432.

de la Ciudad de Puerto Rico.[71] Esta dinámica de hacer las casas de la forma descrita por el fraile, era un estilo que se venía practicando entre los criollos desde el siglo XVI. En mejores palabras, no existía un progreso en la infraestructura, menos en la situación económica entre la mayoría de los habitantes.[72] Por lo que el estilo de vida de los puertorriqueños en este periodo era uno de subsistencia y de conformidad.

Para terminar con esta parte, todos los detalles recopilados por Abbad y Lasierra, en relación con la anticipación de un terremoto, eran técnicas rudimentarias que los antiguos pobladores en Puerto Rico habían desarrollado a lo largo de los tres primeros siglos de la colonización. Incluso, muchas de las técnicas para predecir un temblor, aparentemente eran utilizadas para anticipar la llegada de un temporal. Abbad y Lasierra comentaba que muchas veces después del fenómeno del terremoto venía acompañado con tronadas y aguaceros.[73] Esto último, a nuestro juicio, es un conocimiento diametralmente erróneo en comparación con los nuevos adelantos en el campo de la sismología.

A base de la poca evidencia científica existente, aún no se puede tomar estos eventos como aislados o como efecto en cadena de un solo fenómenos en natural. Lo más relevante de los comentarios del cronista es que

---

[71] Luis Caldera Ortiz, *Historia de la construcción de la vivienda en Puerto Rico, siglo XVI y XVII.* Obra Inédita, 2015.

[72] Alejandro O'Reilly en Alejandro Tapia y Rivera, *Biblioteca histórica de Puerto Rico*, San Juan, Instituto de Cultura Puertorriqueña, 1970, pp. 624-641. El Mariscal O'Reilly mencionó cosas parecidas, el creía que la falta de producción, el exceso de tierras para hatos y problemas con las milicias disciplinadas eran aspectos que se consideraban dentro de los grandes problemas de la Isla y por eso su estancamiento económico. Eso ayuda a explicar el que la mayoría de los habitantes tuvieran estructuras flojas y con estilo parecido a las que se han descrito en documentos del siglo XVI.

[73] Abbad y Lasierra, *Historia geográfica...*, p. 432.

esa percepción general de anticipar la llegada de un terremoto o de un temporal estaba latente en esta época e incluso desde antes. Muchas de esas creencias de predicción aún eran utilizadas por la gran mayoría de nuestros abuelos a mediados del siglo XX. En sencillas palabras, el conocimiento del cronista era más por la experiencia de los sentidos en vez de un método científico.

El próximo temblor registrado fue para el verano de 1785, pero a nuestro entender fue uno leve y su paso apenas fue percibido.[74] Para el otoño del mismo año, se registró también en San Thomas un fuerte temblor. Posiblemente, este debió sentirse en la región este y sur de Puerto Rico. Para el 2 de mayo del 1787 se sintió en San Juan un terremoto que fue de una magnitud considerable. Los daños en relación con este fenómeno son varios y fueron registrados por las autoridades oficiales. En San Juan, el cabildo informó que se destruyeron varias edificaciones y que la población estuvo una cantidad de días con temor.[75]

En otros lugares de la Isla se dieron varios reportes. Primeramente, se indicó que el terremoto destruyó la iglesia de San Felipe de Arecibo; en el mismo pueblo destruyó la ermita del Rosario y de la Concepción. También las ondas sísmicas hicieron daños en los templos de Mayagüez, Caguas y Toa Alta.[76] Según Tomas de Córdova, "el antiguo historiógrafo y secretario del

---

[74] Díaz Hernández, *Temblores y terremotos...*, p. 15.

[75] *Actas del Cabildo de San Juan Bautista de Puerto Rico*, tomo 1785-1789, (Municipio de San Juan, 1966), p. 90. La reunión del cabildo se dio el día 11 de junio del 1787.

[76] Cayetano Coll y Tosté, *Boletín Histórico de Puerto Rico*, vol. 5, San Juan, Imprenta Cantero Tip y Fernández, 1918, pp. 370-371. Véase también a Adolfo de Hostos, *Tesauro...*, tomo V, p. 468.

gobierno en las primeras décadas del siglo XIX", manifestó que la ciudad capital había sufrido graves averías. La fortificación del Morro y San Cristóbal habían pasado por fuertes daños estructurales. En toda la Isla hubo preocupación general por causa del terremoto.[77] Sin duda alguna, a base de los lugares que reportaron los mayores daños, el epicentro de este fuerte temblor, tuvo que haber sido en algún punto de la costa norte de Puerto Rico.

Un aspecto relacionado con este temblor es que los Rosarios de Cruz[78] se empezaron a adoptar como habitó ceremonial religioso entre los pobladores criollos.[79] Incluso una antigua rogativa se expresaba así: "Sale la aurora a medianoche, líbranos, madre del turrumote".[80] Esta tradición se celebraba en las casas de los vecinos que vivían en los campos.

El evento sísmico del 2 de mayo sucedió un día antes de la celebración del santo patrón de la Santa Cruz. Esto puede explicar el que se escogiera a esta patrona, para que sirviera de protectora en la eventualidad que sucedieran terremotos. Durante el siglo XIX y XX sus fiestas se celebraban en la primera semana de mayo,

---

[77] Tomas de Córdova, *Memorias geográfica, estadística y económica de la isla de Puerto Rico*, tomo 2, San Juan, Edición Facsímil, 1968, p. 38.
[78] Estos rosarios son cantados.
[79] Pedro Hernández, *Las Fiestas de Cruz o Rosarios Cantaos en Utuado*, Utuado, Editorial Ubiz, 1978, p. 1.
[80] Los Rosarios de Cruz fueron evolucionando con el pasar de las décadas. Estos empezaron con una simple rogativa en la casa de los jibaros en los campos, pero luego, al celebrarse en el área urbana se añadieron otros elementos como por ejemplo el homenaje a la Virgen María. En la primera mitad del siglo XX, la tradición fue desplazada por el protestantismo. Para mediados de la década del 1950, se empezaron a tomar estos rosarios otra vez con seriedad. La Iglesia Católica dio el permiso para que se celebraran oficialmente y en la actualidad se celebran en algunos lugares en Puerto Rico, ejemplo de esos municipios son Coamo y Caguas. Para más información relacionada con los actos de los Rosarios de Cruz véase Hernández, *Las Fiestas de Cruz...*, pp. 1-15.

mayormente en los lugares apartados de los pueblos. En la actualidad, todavía en algunos lugares se conserva la tradición. Con ese detalle se puede apreciar que los eventos sísmicos empezaron a tomarse más en serio entre la población puertorriqueña de finales del siglo XVIII.

Para el 22 de octubre del 1787, alrededor de las cuatro de la mañana, tres leves temblores se sintieron en la Isla.[81] Esto nos indicar que, posiblemente, eran una réplica relacionada con los terremotos del mes de mayo del mismo año. Como se explicó en el primer capítulo, las réplicas relacionadas con un terremoto mediano o fuerte pueden durar semanas e incluso por meses. En este caso, esto es un típico ejemplo de lo último mencionado. En la última parte del siglo XVIII, en Puerto Rico, la situación se volvió tensa, debido al ataque inglés del 1797. Además, con la alerta de la rebelión de los esclavos en la isla de Saint Domingue[82] pudo ocurrir una pausa para reportar eventos relacionados con los temblores e incluso con los temporales.

Se puede apreciar que en los primeros tres siglos de la colonización española existió un vacío de información relacionada a los terremotos. Como mencionó fray Iñigo Abbad y Lasierra en su obra, los temblores y terremotos eran tan comunes que la población ya estaba adaptada a ellos. Las noticias relacionadas con un evento sísmico siempre estuvieron acompañadas con reportes de daños. Debido a la escasa cantidad de información encontrada hasta ahora, se puede deducir que los eventos sísmicos de gran fuerza han sido poco.

---

[81] Díaz Hernández, *Temblores y terremotos...*, p. 15.

[82] Para una buena lectura relacionada con la revolución haitiana véase C.L.R. James, *The Black Jacobines: Toussaint L'Ouverture and the San Domingo Revolution*, New York, 1989.

Mapa de la isla de Puerto Rico y Viequez, realizado en el 1721. AGI, Mapas y Planos, Santo Domingo, 131.

Las teorías más recientes enfatizan que los grandes terremotos se dan cada cierto tiempo prolongado y dependiendo en qué área del planeta se encuentra el territorio. Ese tiempo prolongado puede ser determinado por el tipo de falla sísmica que pueda tener una región.[83] En el caso de Puerto Rico, al no estar en una zona sísmica tan activa, el tiempo se prolonga más en comparación con otras regiones con alto movimiento sísmico.

Aparentemente, los pocos registros históricos nos ayudan a fortalecer esas teorías científicas del campo de la geología moderna. A eso debemos añadir, que el material de construcción de la vivienda, "madera, cemento y etc.", puede ser decisivo a la hora de registrar víctimas y potenciales daños. Tal como describió el

---

[83] Tarbuck y Lutgens, *Ciencia de la Tierra...*, pp. 307-340.

fraile Abbad, las chozas pobres de los jibaritos minimizaban el potencial daños que podían causar las ondas sísmicas de un fuerte temblor. Para las próximas décadas del siglo XIX, el auge del desarrolló científico a nivel mundial ayudó a que estos campos desconocidos para esa época empezaran a entenderse mejor.

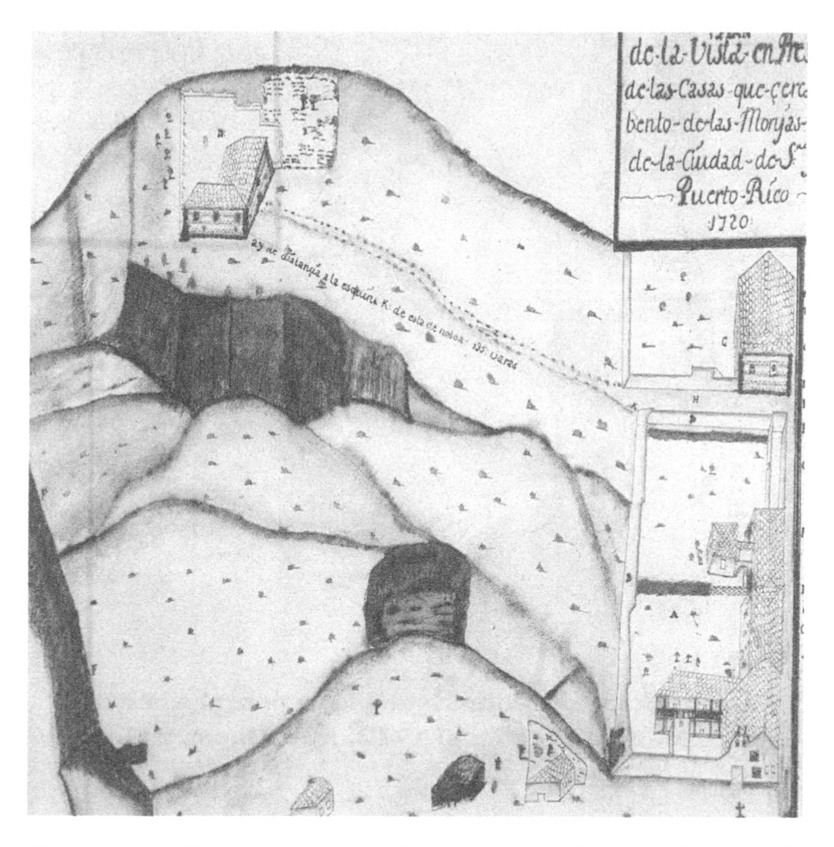

Convento de las Carmelitas dentro de la Ciudad de Puerto Rico, realizado en el 1720. AGI, Mapas y Planos, 130.

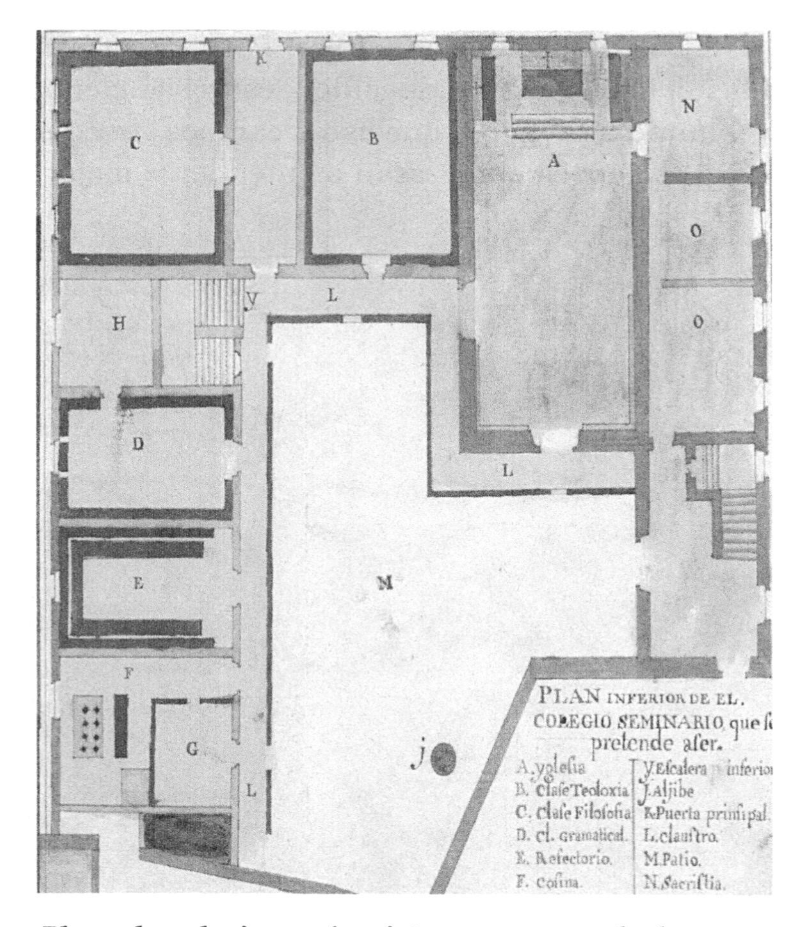

Plano de colegio seminarista que se pensaba hacer en San Juan, realizado en el 1712. AGI, Mapas y Planos, 126.

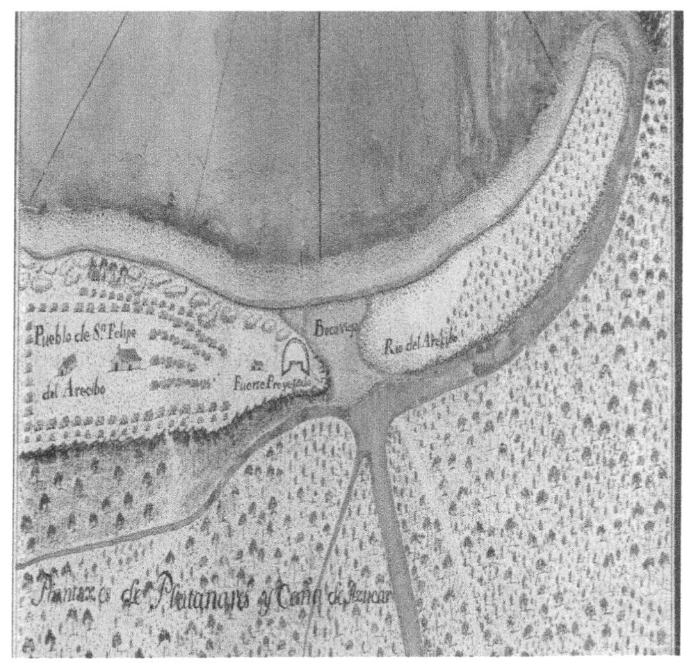

Mapa de la región de Arecibo en el 1739. Se proponía un fuerte militar en la zona. AGI, Mapas y Planos, Santo Domingo, 198.

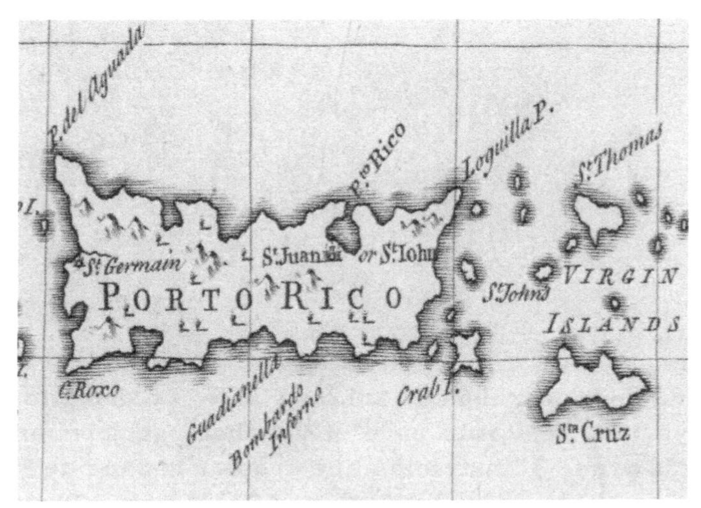

Mapa inglés del 1747.

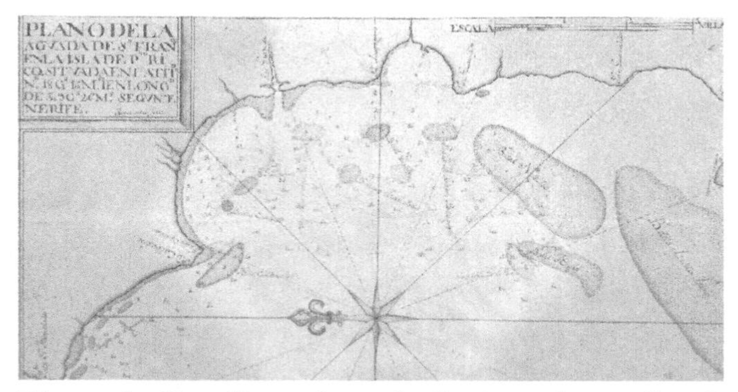

Plano de San Francisco de la Aguada realizado en el 1754. AGI, Mapas y Planos, Santo Domingo, 294.

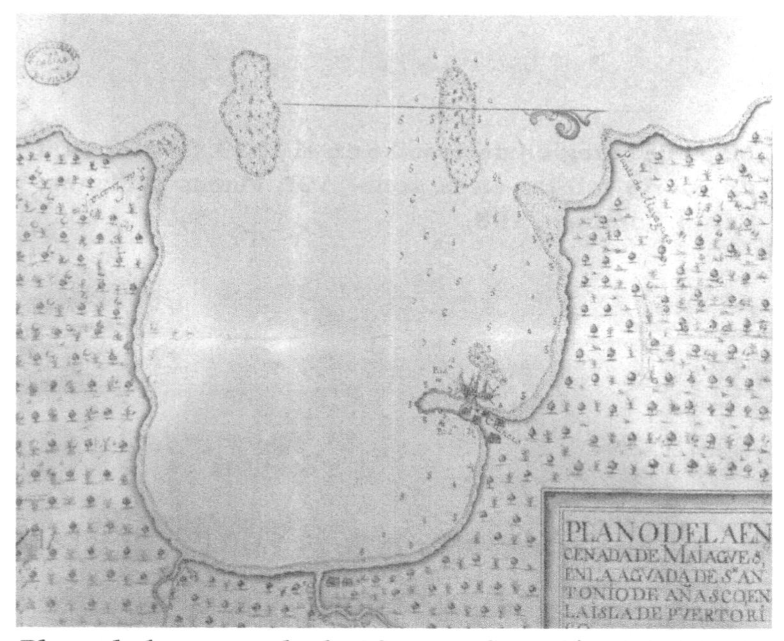

Plano de la ensenada de Añasco y la región del sitio de Mayagüez, realizado en el 1754. Este posiblemente sea la primera ilustración que aparece la zona de Mayagüez antes de su fundación. AGI, Mapas y Planos, Santo Domingo, 294.

Plano de frente del antiguo hospital de San Juan, realizado en el 1778. AGI, Mapas y Planos, Santo Domingo, 441.

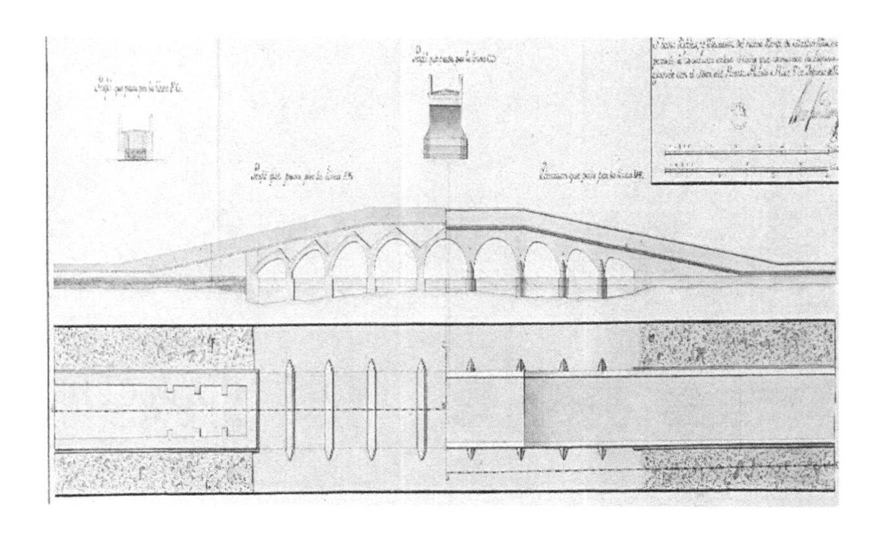

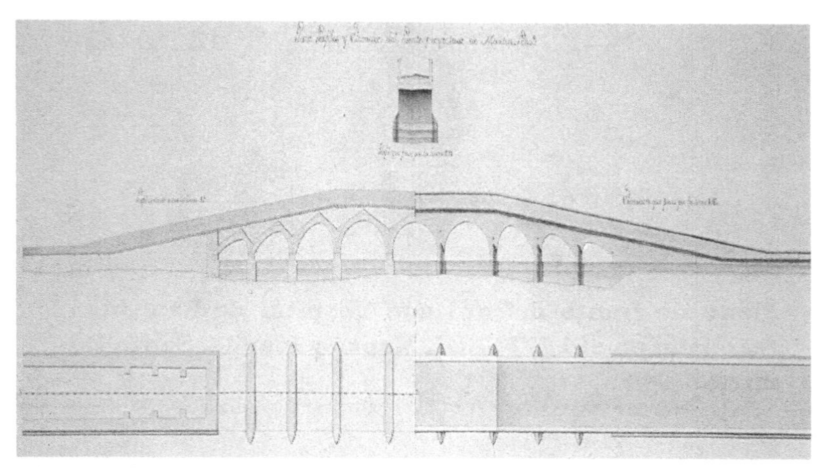

Planos de construcción del puente Martin Peña entre el 1783-1784. AGI, Mapas y Planos, Santo Domingo, 486 y 493.

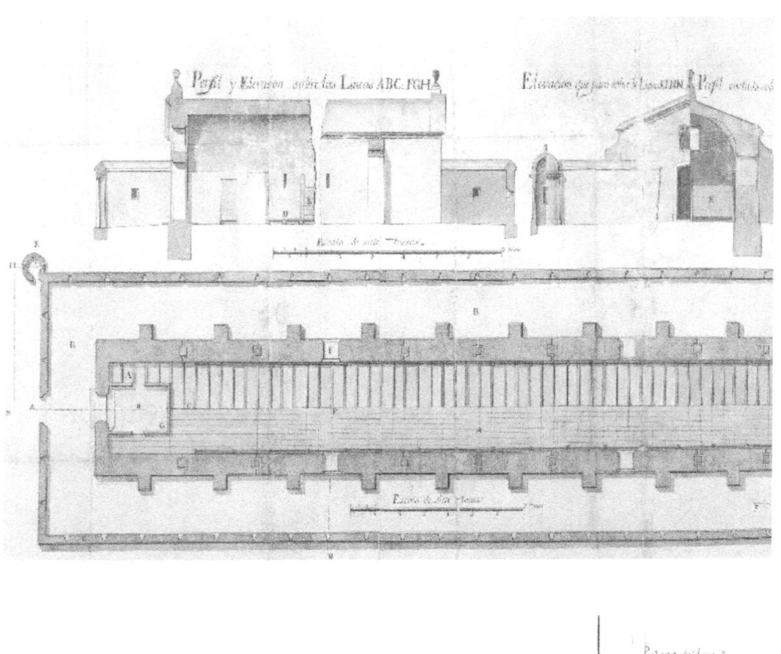

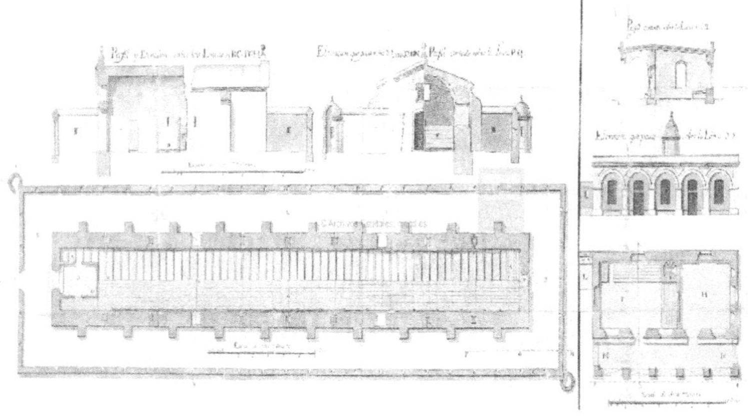

Planos de construcción de la casa de la pólvora dentro de la fortaleza. Estos mapas nos certifican que el enfoque de la Corona siempre fue el mantener las estructuras militares, mientras la población en general vivía en casas de madera y techada en yaguas. AGI, Mapas y Planos, Santo Domingo, 366.

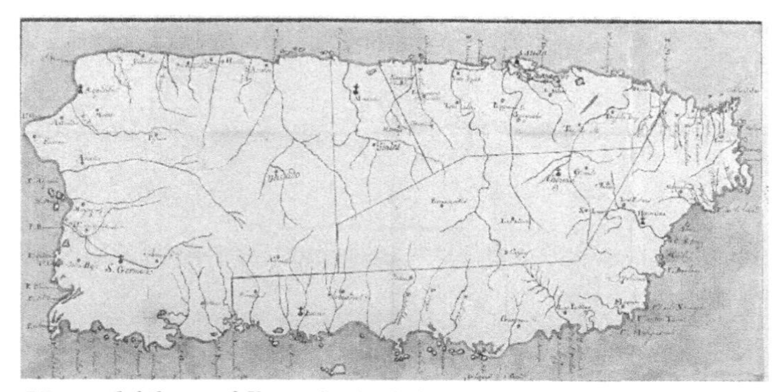

Mapa hidrográfico de la isla en el 1825. AGI, Mapas y Planos, Santo Domingo, 750.

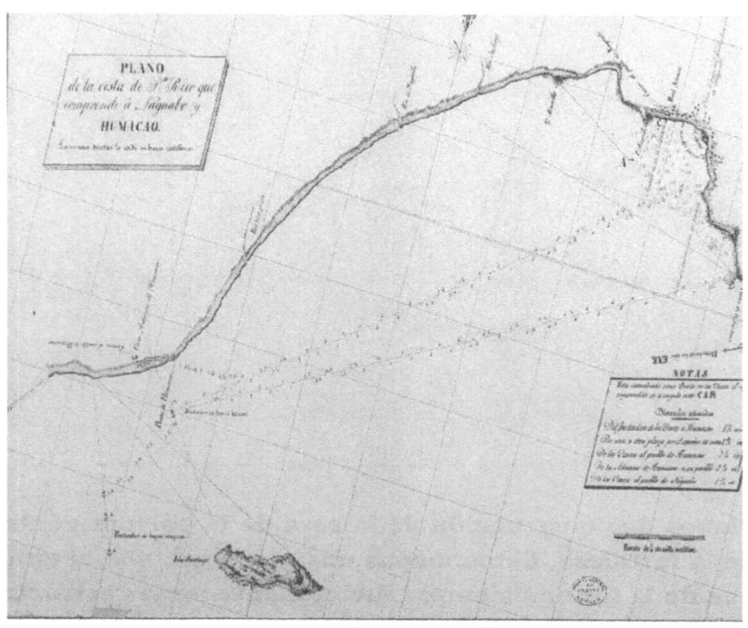

Mapa de la costa de Humacao en el 1846. AGI, Mapas y Planos, Santo Domingo, 834.

TERREMOTOS EN EL SIGLO XIX

El siglo XIX representó en Puerto Rico un periodo lleno de cambios de todo tipo, desde el orden económico hasta el científico. El primer cambio trascendental fue la nominación de Ramón Power a las Cortes de Cádiz a finales del 1809 y el papel de este en buscar más recurso para nuestra Isla.[84] El establecimiento de la Constitución Española el 19 de marzo del 1812[85] trastocó para siempre la forma de administración de los pueblos en Puerto Rico.[86] A pesar que esta última, solo tuvo un corto tiempo de existencia, algunos de los estatutos, como elegir funcionarios en los pueblos y la participación democrática de los vecinos, se mantuvo vigente a lo largo de esa centuria.

Para el 10 de agosto del 1815, se aprobó la reforma de la Real Cedula de Gracia, la cual era una solución para mejorar el aspecto económico de Puerto Rico. Algunos de los nuevos aspectos que se buscaba fomentar eran: (1) la apertura de nuevos puertos, (2) la entrada de extranjeros con alto capital y (3) la exportación de los productos principales como el azúcar, el

---

[84] Ramón Power pidió un informe a las villas de San German, Coamo y Aguada, estos informaron que sus mayores problemas eran el repartimiento de tierras, la falta de comercio y la poca escolarización. Para una lectura relacionada sobre esto véase Cayetano Coll y Tosté, *Boletín Histórico...*, vol. 9, 1922.

[85] La Constitución es proclamada el 14 de julio del 1812 y suprimida el 31 de julio del 1814.

[86] Picó, *Historia general...*, pp. 128-129. Se formaron los ayuntamientos para los pueblos, cuyos miembros serian seleccionados por electores escogidos entre los jefes de familia blancas. La constitución no reconocía ese derecho político a pardos ni a negros.

café y el tabaco.[87] Estas reformas ayudaron a que en las siguientes décadas se diera un resurgir a la económica insular.

Una particularidad que había sido descrita desde hacía décadas por O'Rally y Abbad y Lasierra era la pereza de los habitantes a vivir conforme a su entorno. Tal estilo de vida se continuaba practicado grandemente por la mayoría de la población de la Isla. Esto conllevó a que el gobernador de la Isla a finales de la década del 1840 estableciera un nuevo estilo o formato de trabajo, que, a su vez, era registrado, llamándose el sistema de la Libreta de Jornalero.

En las décadas siguientes, las pésimas condiciones de la Isla[88] y los fenómenos naturales del 1867[89], conllevaron a que unos valerosos campesinos criollos se alzaran el 23 de septiembre del 1868, acción conocida como el Grito de Lares. A consecuencia de esos eventos, hubo un mayor interés del gobierno para crear algunos departamentos nuevos, entre estos estaban: la

---

[87] Raquel Rosario, *Real Cedula de Gracias de 1815*, San Juan, 1995. En esta obra se encuentra la legislación de la Real Cedula de Gracias y un análisis de varios aspectos importantes.

[88] Hemos visto documento de testimonio de oficiales públicos donde se indica que se culpa al gobierno de malgastar dinero para obras, mientras que era poca la inversión de obras públicas que repercutiera en los pueblos. Un ejemplo típico es que para verano de 1867 en la Isla el 80% de las casas eran ranchos y bohíos, por lo que esto nos hace indicar que había muchas personas pobres a pesar de que la demografía de los pueblos había aumentado drásticamente. Sobre esto véase el Archivo Histórico Nacional (AHN), Ultramar, 379, exp. 10. *La Gaceta de Puerto Rico,* 13 de junio de 1867, p.3.

[89] Los eventos fueron San Narciso el 29 de octubre de 1867, huracán que dejo más de 250 muertos y tres semanas después el 18 de noviembre sucedió el gran temblor. Por varias semanas estuvo temblando fuerte. Esto nos indica que una vez más los fenómenos naturales han jugado un papel importante en la sociedad, véase a Vicente Fontan y Mera, *La Memorable noche de San Narciso y los Temblores de Tierra*, Puerto Rico, Imprenta El Comercio, 1878, pp. 10-80.

oficina del Telégrafo[90], la oficina de Obras Públicas[91] y el Servicio Meteorológico.[92] Estas ramas se consideran las primeras del campo científico oficial en Puerto Rico. Estas se encargaban de hacer e informar los registros meteorológicos y reportar la actividad sísmica. En las últimas décadas del siglo XIX, fueron los partidos políticos los que se convirtieron en los protagonistas de la historia local.[93]

Actividad sísmica en el Siglo XIX

Hasta este momento no existen reportes relacionados con terremotos y temblores fuertes para el primer cuarto del siglo XIX. Lo más que podemos asociar fue un temblor fuerte que ocurrió el 21 de julio del 1828 y que se reportó en toda la Isla.[94] No se indica la existencia de daños, por lo que asumimos que no fue un evento sísmico muy fuerte. Para el verano del 1830, Pedro Tomas de Córdova, antiguo secretario del gobierno, en su obra *Memorias* reportó seis temblores de tierra sentido en el pueblo de Ponce durante todo el mencionado año.[95] El mismo autor manifestó que solamente fue un susto menor entre la población sureña.

---

[90] AHN, Ultramar, 390, exp. 19, 1867-1890. Presupuesto de Obras Publicas Mono Montes y Telégrafos.

[91] El proceso tomo tiempo y la documentación es muy extensa, AHN, Ultramar, 314, exp. 17. Creación del cuerpo auxiliar de Obras Públicas, 1866-1868. AHN, Ultramar, 315, exp. 17, 1867-1872. Expediente sobre el arreglo de personal de Obras Públicas.

[92] AHN, Ultramar, 372, exp. 1-8, 1873-1896. Expediente sobre el Servicio Meteorológico. Este informe está acompañado de diseños y datos numéricos sobre el clima en Puerto Rico desde 1873 hasta el 1898 y se enviaba a España cada 3 años.

[93] Lidio Cruz Monclova, *Historia de Puerto Rico, siglo 19*, Río Piedras, Universidad de Puerto Rico, 1979. Véase tomo 3 al 6 sobre los movimientos de los disputados en el periodo del último cuarto del siglo XIX y los acontecimientos políticos en la Isla.

[94] Díaz Hernández, *Temblores y terremotos...*, p. 16.

[95] Tomas de Córdova, *Memorias geográfica...*, p. 43.

Otros eventos sísmicos aislados informados sucedieron el 7 de septiembre del 1831, el cual se sintió en la madrugada en el pueblo de Aguadilla; en enero del 1842, se informó que, en el pueblo de Ponce hubo una sacudida de varios minutos; y el 7 de mayo del mismo año, se sintió un temblor fuerte en toda la Isla.[96] Todos estos sismos registrados fueron de una magnitud moderada. Esto en el campo de la sismología moderna es sumamente común.

Este último fue sentido con gran intensidad en la localidad de Cap-Haitien "Cabo Haitiano" de la Republica de Haití.[97] Esa región sintió el sismo después de las 5 de la tarde del día 7 de mayo del 1842 y se reportó una duración de noventa segundos. Lugares como Port-De Paíx, Ford Liberte y Puerto Príncipe lo sintieron con gran intensidad. El lugar más afectado fue el Cabo Haitiano, la prospera zona comercial del noreste sufrió enormes daños con el temblor. Las fuentes indican que sobre 9,000 personas murieron enterradas por los edificios de mampostería.[98] También el sismo se sintió con enorme intensidad en Puerto de Plata, La Vega, Santiago de los Caballeros, La Vega, Santiago de los Caballeros y Gonaïves, casi todos estos asentamientos ubicados al norte de la Republica Dominicana.

En la región de Port-De Paix se desarrolló un maremoto, cuyo impulso en la costa sobrepaso los 400 pies. El mismo fue informado en la zona de Monte Cristi y

---

[96] Díaz Hernández, *Temblores y terremotos...*, p. 17.
[97] La provincia de Cabo Haitiano está ubicada en el noreste de la región; muy cercano a la línea divisoria con la República Dominicana.
[98] Dante Louis Bellegarde, *La Nación Haitiana*, Sociedad Dominicana de Bibliófilos, 1984, p. 134.

Ford Liberte. En general, la costa norte de Haití y República Dominicana tuvieron los efectos de un fuerte maremoto. Las víctimas en la costa norteña se contabilizaron en varios cientos de personas. Según el autor Dante Bellegarde, el Cabo Haitiano fue por mucho la región más afectada. La triste realidad de la época fue que los haitianos no recibieron alguna ayuda internacional por los eventos.[99]

Sin duda alguna, este fuerte terremoto fue asociado a la sección norte de la placa del Caribe (región entre Haití y República Dominicana) y la sección sur de la placa América del Norte. Como se había dicho previamente, en la Isla este terremoto se sintió en una intensidad menor. Para los hermanos de la antigua isla de Santo Domingo, es bastante probable que, a base de ejemplos más modernos, se haya sentido ese sismo en el rango de 8.5 en la moderna escala Richter. Una potencia de enorme magnitud. La región caribeña siguió muy activa en los años siguientes al evento del 1842.

Para el 8 de febrero del 1843 sucedió en San Juan de Puerto Rico un fuerte temblor. El gobernador de Puerto Rico, en carta al Ministerio de Ultramar, informó que el sismo fue entre las 10 y 11 de la mañana. Afortunadamente, no hubo daños en la capital ni en los pueblos del interior. El tiempo de durabilidad del temblor no fue especificado, pero se mencionó que fue de una duración larga. Los informes del temblor provenían de las autoridades de la isla de Vieques.[100]

---

[99] Ibíd., p. 134.

[100] AHN, Ultramar, 5063, exp. 42. Los eventos fueron informados el día 13 de febrero del 1843. El gobernador procedió a informar al Ministerio el 24 de febrero del mismo año.

Los efectos grandes del evento sísmico se sintieron en las islas de Barlovento, en San Cristóbal, Nevis, Marigalante, Antigua y Guadalupe. En estas últimas, se produjo un maremoto, que hizo que el mar se adentrara a la tierra por una distancia de 15 a 20 pies.[101] La isla más afectada fue la colonia francesa de Guadalupe, cuya cantidad de muertos sobrepasó los 6,000. En Point a Pitre[102] las víctimas fueron mayormente a consecuencia del maremoto y del incendio que se desarrolló después del terremoto, cuyo fuego duró tres días. Prácticamente, la destrucción en esta Isla había sido terrible.[103] Por lo que se puede apreciar, que el epicentro de este sismo se dio en las cercanías de las Antillas Menores y cuyo centro estuvo cerca de la isla de Guadalupe.

También, se informó que, después del temblor mayor, se sintieron una serie de determinados sismos menores.[104] Estas réplicas habían puesto nerviosos y temerosos a los residentes de las islas afectadas. Un aspecto interesante en el reporte es que se indica que el día que sucedió el temblor, en Vieques estaba soleado y despejado de nubes. Posiblemente, un indicio de que

---

[101] AHN, Ultramar, 5063, exp. 42. En Antigua todos los edificios de mampostería que estaban ubicados en el puerto de San Juan de la mencionada isla se fueron al piso. En Guadalupe, los ríos cercanos al puerto de Point a Pitre desaparecieron por las grietas del temblor de tierra. Una gran cantidad de muerte habían sido atribuidas al maremoto y luego al incendio.

[102] En el informe redactado por el Ministro de Ultramar se indica hasta 8,000 víctimas por el terremoto, estos no especificaron con claridad ese detalle.

[103] AHN, Ultramar, 5063, exp. 42. Se informó que mucho de los muertos habían sido tirados al mar y otros transportados por las corrientes de las aguas y se temía que estos muertos llegaran a las islas de Sotavento, por lo que se pensaba que se desarrollaría una epidemia de peste por parte de las autoridades de Vieques.

[104] AHN, Ultramar, 5063, exp. 42.

todavía había un ideal de asociar el clima atmosférico a los temblores de tierra.

El primer evento sísmico de magnitud que creemos que sucedió en el siglo XIX y que podemos identificar hasta ahora como terremoto sucedió el día 16 de abril del 1844. El mencionado particular se informó al Ministerio de Ultramar en carta del 26 de abril del mismo año por el gobernador de Puerto Rico. Este le escribió al Consejo de Ultramar sobre la ocurrencia de un fuerte sismo el 16 de abril del mencionado año. La sacudida sucedió a las 9:20 de la mañana, la duración de este, según el gobernador, fue de 25 segundos y a este le siguió una serie de temblores más pequeños.[105]

Al parecer este terremoto fue de una magnitud considerable. El fuerte temblor causó daños en algunos edificios, en particular, el templo de las monjas y en otras iglesias que habían sufridos grietas en las bóvedas y paredes. La misma situación sucedió con otros templos en la Isla[106], especialmente en Isabela, Gurabo, Guayama, Utuado, Yabucoa, Ponce y Caguas.[107] En tales pueblos se afectaron otros edificios también. Además, se puede apreciar claramente que el temblor fuerte o terremoto se sintió en gran parte de la Isla y vemos en el informe la mención de pueblos en los cuatro puntos cardinales.

Según Cayetano Coll y Tosté, y llegado a él por medio de narraciones de tipo oral en su familia, el día 5 de mayo de 1844 había sucedido un fuerte terremoto

---

[105] AHN, Ultramar, 5014, exp. 36.

[106] Héctor Colón Ramírez, *Historia del Pueblo de Barranquitas: Cuna de próceres, 1803-1920*, Colombia, 1996, pp. 38-40. El autor informó que la iglesia de Barranquitas sufrió graves daños a consecuencia del terremoto del 16 de abril.

[107] AHN, Ultramar, 5014, exp. 36.

que sacudió la Isla.[108] A pesar de que después de un temblor fuerte suceden réplicas fuertes, este detalle no se indica, lo cual nos lleva a pensar si la versión de Coll y Tosté es correctamente la fecha del sismo. La versión de Coll y Toste no ha podido ser corroborada mediante una fuente documental que la confirme, aunque esta fecha fue registrada por Federico de Asenjo en su obra *Las Efemérides de Puerto Rico.* Este autor mencionó que se sintió el terremoto en toda la Isla y que también se sintió en las islas de Barlovento, Martinica y Guadalupe.[109]

Otro autor que mencionó el evento fue Eduardo Newman Gandía. Este último indicaba que el temblor tumbo unos adornos de la Iglesia de Guadalupe en Ponce. Esto llevó a que las personas estuvieron varios días haciendo rogativas, que las mujeres se cortaran sus cabellos y los hombres estuvieran descalzos y con el pelo revuelto implorando al cielo hasta el amanecer.[110]

Aquí tenemos un típico caso en donde la aparente tradición oral, específicamente la de la familia de Coll y Tosté y las experiencias vivida por Federico Asenjo y Eduardo Newman, hace que posiblemente se certifique el que el 5 de mayo de 1844 ocurriera un terremoto. No obstante, debemos indicar que no hemos encontrado evidencia documental oficial que confirme este hecho. Posiblemente, el evento del 5 de mayo sea una continuación de lo que sucedió el 16 de abril del mismo año. Con la diferencia, de que el 16 de abril se reportaron daños considerables y el día 5 de mayo

---

108 Coll y Tosté, *Boletín Histórico...*, vol. 5, p. 371.

109 Federico Asenjo, Las *Efemérides de Puerto Rico*, San Juan, 1870, p. 69.

110 Newman Gandía, *Verdadera...*, p. 218.

hasta ahora no se haya encontrado registros de daños estructurales de los edificios que tenía la Isla y sus pueblos.

Según los datos geológicos, ambos eventos pudieron haber ocurrido y posiblemente se sintieron a lo largo de las semanas posteriores del fuerte sismo. Esto debido a que, en la actualidad, está comprobado que pueden suceder otras réplicas igualmente parecidas al temblor principal y que estas sucedan en el lugar del epicentro reportado.

Otro aspecto interesante es que a base de lo expresado y recopilado mediante historia oral y el poco registro de daños en los documentos, el evento del día 5 de mayo, pudo haber pasado por inexistente en los documentos debido a que cuando sucedió las estructuras estaban en el piso y posiblemente las pocas estructuras que no se cayeron en el evento del 16 de abril se cayeron en el evento de mayo según como habían informado algunos de los historiadores mencionados. Esto último puede ser una explicación que conteste el dilema que hemos planteado con estos eventos sísmicos.

El 19 de octubre del 1844, a las 11:30 de la noche se sintió otro temblor de tierra y a las 9 de la mañana del día 20 se sintió uno más fuerte, que desató un desespero entre los habitantes de Puerto Rico. El clima descrito por el gobernador en ese día era de uno de viento en calma y nublado.[111] Aparentemente, no se registraron daños, debido a que no se mencionaba nada en el documento consultado. Con estos datos podemos considerarlo como un temblor fuerte. Posible-

---

[111] AHN, Ultramar, 5014, exp. 36.

mente, pudo haber sido una réplica del sismo que sucedió en primavera u otro evento aislado. Por lo que vemos, sísmicamente hablando, la región de Puerto Rico estuvo muy activa en ese año.

Después de los eventos del 1844, aparentemente, la actividad sísmica empezó a registrarse de manera más seguida. Existe varios reportes interesantes de temblores y tales informes se extienden por esta década. Para el 28 de noviembre de 1846, aproximadamente a las 5:15 de la tarde, con el viento soplando en dirección del noreste, se sintió un fuerte temblor, que, a base de los cuadros ubicados en la oficina del gobernador, el movimiento osciló de N.O al S.O, y la duración del sismo fue de cuatro a cinco segundos. En el pueblo de Río Piedras, el temblor se sintió con mucha fuerza.[112]

En otros pueblos también hubo reportes, especialmente en Guayama, Cabo Rojo, Isabela y Arecibo. En los primeros dos pueblos mencionados no dejó daños. En Isabela la torre de la iglesia sufrió una fractura y le hizo daños a la nueva Iglesia de Arecibo, que estaba recién inaugurada.[113] El arquitecto Manuel de Zayas estimó que el costo de reparación de la antigua alcaldía del pueblo de Arecibo y de la iglesia, sería de 398 pesos.[114] La fortaleza y las garitas no sufrieron daño alguno.

---

[112] AHN, Ultramar, 5066, exp. 13. La carta del gobernador es del 14 de diciembre del 1846, el Ministerio de Ultramar contestó la carta el 3 de diciembre del 1847.

[113] AHN, Ultramar, 5066, exp. 13. Aparentemente, la Iglesia fue inaugurada el 19 de noviembre del 1846. En otro expediente hemos encontrado los aspectos relacionados con la construcción de la mencionada iglesia. Se toca someramente el tema del temblor. Para más referencia del mencionado expediente véase AHN, Ultramar, 1068, exp. 30.

[114] AHN, Ultramar, 5066, exp. 13. Los daños en la Alcaldía del pueblo de Arecibo fueron unas pequeñas aberturas en las partes más antiguas de

Un dato interesante es que el gobernador Conde Mirasol mencionó que el temblor había sido el más fuerte sentido en Puerto Rico desde que se registró el terremoto del día 16 de abril del 1844. Por lo que esto último pone un poquito más en duda el terremoto del 5 de mayo del 1844. Aparentemente, para las autoridades oficiales, el sismo del 5 de mayo fue insignificante como para mencionarse.[115] La información relacionada con los temblores de ahora en adelante es bastante y solo nos concentraremos en los principales movimientos telúricos.

Entre el 19 y 27 de febrero del 1851, se sintieron varios temblores fuertes. La mayoría de ellos en el pueblo de Aguas Buenas. La alcaldía de San Juan sufrió daños en varias de sus paredes.[116] La actividad sísmica se calmó parcialmente durante el resto de la década de 1850[117] y la primera mitad del 1860.

Un dato interesante es que, para el 24 de septiembre del 1863, salió publicado en la Gaceta del Gobierno

---

la estructura. La bóveda de la iglesia estaba bien aplomada y sus laterales fueron las partes afectadas, además de un área llamada epístola que también recibió daños. Algunos ladrillos con cal resultaron afectados y merecían ser cambiados. El resto eran pequeños daños, que, con una remodelación, la estructura regresaría a ser segura nuevamente.

[115] Estos datos nos llevan a cuestionar la veracidad de ciertos sucesos que son considerados reales. Esto nos muestra la importancia de la investigación y revisión histórica que cada cierto tiempo se debe realizar.

[116] Díaz Hernández, *Temblores y terremotos...*, p. 18.

[117] AHN, Ultramar, 5075, exp. 45. En este expediente se informó que se sintieron temblores de tierra durante el paso del huracán del 18 de agosto del 1851. Los pueblos afectados fueron Cidra, Patillas y Caguas. Además, se mencionó que en la isla de Santo Domingo mientras pasaba el mencionado temporal se sintieron temblores. AHN, Ultramar, 5063, exp. 42. Sabemos, por este expediente, que hubo sismos fuertes en el área del Caribe; lamentablemente tal expediente no está digitalizado en los portales de pares. En una edición de la *Gaceta de Puerto Rico* del sábado 25 de septiembre del 1852 se informó que hubo un fuerte terremoto el viernes 20 (¿agosto?) en el partido de la Enramada (Santiago de Cuba). Tal terremoto dejó muchos daños a las estructuras de mampostería, a la iglesia y otros edificios del mencionado lugar.

un comunicado oficial, en donde se informaba sobre la ocurrencia de un terremoto en Manila.[118] A base de esto, los funcionarios del pueblo de Ponce solicitaron a sus habitantes recoger artículos de primera necesidad, tales como ropa, colehones de cerda, almohada de cerda, sabanas, frisa, colchas, mosquiteros, camisas, gorros y servilletas.[119]

Se solicitaba a los vecinos del pueblo de Ponce que pagaran 10 pesos o más en subsidio y a los empleados públicos que ganaba sobre 300 pesos en sueldo, también se le pedía 10 pesos de contribución.[120] También la junta de Ponce se encargó de recoger en los pueblos de su jurisdicción adyacente.[121] Prácticamente, esta situación de búsqueda de ayuda es algo similar a lo que ocurre hoy en día cuando sucede un evento catastrófico. Ejemplo de eso último, sucedió en enero del 2010, cuando un terremoto afectó Haití. Los puertorriqueños recogieron cientos de furgones de comida y ropa, para los afectados de la hermana isla.

---

[118] *La Gaceta de Puerto Rico*, 24 de septiembre del 1863, p.1.

[119] Archivo Histórico de Ponce (AHP), Fondo Ayuntamiento: Sección Secretaria: Subserie Beneficencia: Serie Calamidades: Sub serie terremoto: Años 1863-1918: Caja S-285-1. El costo de los artículos mencionado es el siguiente: la ropa 2.46 pesos, los colehones de cerda 14.39 pesos, almohadas de cerda 1.46 pesos, sabanas a 1.25 pesos, frisas 1.25 pesos, colchas a 2.50, mosquiteros 5.25 pesos, camisas 1.25 pesos, gorros 11 centavos y servilletas a 25 centavos.

[120] AHP, Fondo Ayuntamiento: Sección Secretaria: Subserie Beneficencia: Serie Calamidades: Subserie terremoto: Años 1863-1918: Caja S-285-1.

[121] AHP, Fondo Ayuntamiento: Sección Secretaria: Subserie Beneficencia: Serie Calamidades: Subserie terremoto: Años 1863-1918: Caja S-285-1. El 2 de diciembre de 1863 se informó que los siguientes pueblos aportaron las siguientes cantidades: Coamo 138.55 pesos, Aibonito 153.81 pesos, Barranquitas 183. 63 ½ pesos, Yauco 731. 78 pesos, Barros 64.85 pesos, Santa Isabel 105. 25 pesos, Adjuntas 183.84 pesos, Peñuelas 85.33 pesos, Juana Díaz 189.19 pesos y Ponce 963. 68 pesos. La cantidad total recogida fue de 3,022.81 ½ pesos.

El 25 de agosto del 1865, se sintió un fuerte temblor a las 2:15 A.M., y duro 45 segundos.[122] El día 30 del mismo mes y año, se sintió otro temblor fuerte que, al igual que el primero, se sintió en toda la Isla. Causó varios daños estructurales a varias viviendas y edificios en Ponce y Manatí. Desde el 7 de enero del 1866 hasta el 7 de agosto del mismo año se sintieron varios temblores fuertes, pero no se reportaron daños de magnitud. Los días del 20 de marzo al 22 de octubre de 1867 se reportaron una serie de temblores sin consecuencia alguna.[123] Estos movimientos sísmicos de menor envergadura fueron una especie de anticipación de lo que se aproximaría en el mes de noviembre del 1867. El subsuelo estaba preparándose para lanzar una de las mayores cantidades de energía sísmica que se haya registrado en Puerto Rico.

Terremoto del 18 de noviembre del 1867

Luego del paso del terrible ciclón de San Narciso a finales de octubre del 1867, la Isla había quedado con bastantes daños. En esta ocasión, mientras la población buscaba volver a la normalidad, la madre naturaleza tenía otra sorpresa reservada para los puertorriqueños de la época. La tarde del 18 de noviembre del 1867, la Isla sufrió un terremoto en el cual dejo plasmada en la población una impresión terrible. La mayoría de las fuentes consultadas informan que tal sismo sucedió a las 2:45 P.M.[124], con una duración de

---

[122] Henry Fielding y Stephen Taylor, *Los terremotos de Puerto Rico de 1918*, San Juan, Negociado de Materiales Imprenta y Transporte, 1919, p. 70.

[123] Díaz Hernández, *Temblores y terremotos...*, pp. 19-20.

[124] AHP, Fondo Ayuntamiento: Sección Secretaria: Subserie Beneficencia: Serie Calamidades: Subserie terremoto: Años 1863-1918: Caja S-285-2. En el pueblo de Ponce se informó que el terremoto fue a las 2:40

30 segundos. A esto se añade que se confirmaron varias sacudidas fuertes posteriores.[125] Para una idea mejor de lo que sucedió en el sismo, el gobernador José Marchesi, le informó al Ministerio de Ultramar lo siguiente:

> La sacudida fue tan enérgica y terrible que el edificio de la Real Fortaleza en que habito, y que es quizás el más sólido de la población. Se movía como un barco agitado por una mar gruesa, chocando los muebles los unos con los otros, y balanceándose las paredes con terrible violencia. ___ Inmediatamente me lance a la calle y recorriendo la población, ofreciéndose a mi vista el espectáculo más desgarrador. Hombre y mujeres estaban por calles y plazas arrodillados en el suelo, implorando a voces la clemencia divina, mientras que la tierra sin cesar de temblar agitaba a los edificios, amenazado a cada momento sepultarnos bajo sus ruinas. "[126]

Claramente, se puede ver el dramatismo con el cual el gobernador Marchesi narró sus impresiones vividas con el terremoto sentido y luego con sus réplicas. Hay varios aspectos interesantes que podemos obtener de la cita como veremos a continuación.

El primero, es que la invocación en masa de la población al aspecto divino demuestra claramente que todavía en Puerto Rico existía un desconocimiento general en la población sobre la verdadera causa y el sig-

---

P.M. La variedad de hora puede cambiar en algunos municipios y depende de la sincronización del reloj de la persona que informó o escribió el documento.

[125] Fontan y Mera, *La Memorable noche...*, pp. 145-148.

[126] Coll y Tosté, *Boletín Histórico...*, vol. 5, pp. 373-374.

nificado de esos temblores de tierra. Tales invocaciones, siguieron haciéndose en otros pueblos en los días subsiguientes.[127]

El segundo, el gobernador estaba afirmando que la estructura más sólida en todo Puerto Rico era la fortaleza. Con la excepción de algunas iglesias, estructuras militares y casas aristocráticas, el 80% de las construcciones de Puerto Rico eran de paja y madera.[128] El aspecto positivo de este señalamiento era que se minimizaba la cantidad de víctimas en este tipo de fenómeno.

Este terremoto, según los informes, hizo fuertes daños a las mejores estructuras de la ciudad capital, así como en el resto de la Isla. Vicente Fontan y Mera fue un antiguo jefe del Departamento de Obras Públicas y, además, un cronista de los eventos naturales que afec-

---

[127] AHP, Fondo Ayuntamiento: Sección Secretaria: Subserie Beneficencia: Serie Calamidades: Subserie terremoto: Años 1863-1918: Caja S-285-2. Para el día 20 de noviembre del 1867, el alcalde de Ponce, Demetrio Santaella, informó que los vecindarios en Ponce estaban llenos de pavor por donde quiera y en horas del día y la noche se veían procesiones que, sin distinción de clases, recorrían las calles, rezando y elevando sus suplicas al todopoderoso. Para el 27 de noviembre del mismo año, se informó en el pueblo de Ponce, que para el 29 del mismo mes y año, se haría una misa a la imagen de Nuestra Señora de Guadalupe. El motivó era para dar gracias a Dios por haberlos librados de mayores daños con el desastre del temporal San Narciso y los terremotos sucedidos. La misa se celebraría en el barrio La Playa del mencionado pueblo, a las personas pobres se le daría una ración de pan, carne, arroz y alguna ropa. Irónicamente, la noche del 27 de noviembre a las 7:30 P.M., hubo otro temblor que puso a toda la población nerviosa y se incrementaron las rogativas. En carta del 25 de noviembre del mismo año, el párroco de Ponce indicó que la gente no dejaba de ir a la iglesia. Esta situación debió repetirse en muchos pueblos de Puerto Rico. Sin duda alguna, se vivieron momentos muy tensos en la población de nuestra Isla en esa época.

[128] *La Gaceta de Puerto Rico*, 13 de junio del 1867, p. 3. Por ejemplo, podemos mencionar el reporte sobre Coamo que indica que de 947 casas existentes una cantidad de 649 eran bohíos de paja y madera. Prácticamente, el 71% de las casas en el pueblo de Coamo eran estructuras humildes.

taron a Puerto Rico en 1867. Este autor dio un recorrido por la Isla y anotó particularidades sucedidas después del huracán San Narciso, también recogió algunos detalles en varios pueblos, en relación sobre los daños ocasionados por el terremoto del 18 de noviembre. Algunos de los aspectos que mencionó fueron los siguientes[129]:

1) En Coamo, el templo de la parroquia había sentido el furor del huracán, pero en el primer temblor se cayeron vasos sagrados y varios ornamentos se habían roto.

2) En Aibonito, en el primer instante de sentir el terremoto, los ciudadanos abandonaron las casas, oficinas, tiendas de comercio y establecimientos públicos.

3) En Ciales, se desprendió un segmento de montaña que medía 80 metros.

4) En Lares, se cayeron las imágenes de la parroquia y las planchas de zinc sufrieron serios daños.

5) En Arroyo, aparentemente, el mar se retiró varios metros, lo que hizo que muchas familias se ayuntaran hacia los terrenos altos del pueblo.

6) En la isla de Vieques se sintió el terremoto.

7) En Vega Baja, también se sintieron los efectos del terremoto.

8) En Ponce, se sintieron los efectos y el mar se retiró algunos metros, por lo que la gente se fue hacia lugares altos.[130]

---

[129] Fontan y Mera, *La Memorable noche...*, pp. 145-146.
[130] AHP, Ayuntamiento, Beneficencia, Calamidades, Huracanes, 1867-1898, S-282-1. Aquí encontramos que el 14 de diciembre de 1867 se reportó daños de 7,000 pesos en una hacienda en el barrio San Antón de Ponce. En el barrio La Playa se reportó el 24 de diciembre la pérdida

9) En Comerio, se sintió el temblor fuertemente.

Prácticamente, esta muestra ofrecida por Vicente Fontan y Mera nos lleva a indicar que este fuerte sismo se sintió en todo Puerto Rico. Llama la atención, que el mar se retiró en algunos puertos, por lo que hubo indicios de un maremoto a menor escala. Aparentemente, la profundidad de este fuerte terremoto no fue mucha. Otro aspecto interesante es que Fontan y Mera expresó lo siguiente:

> Impresionado el pueblo con las relaciones tan fabulosa como la desaparición de la isla Tórtola con sus 8,000 habitantes, ante el inmenso peligro del mar cuyos límites solo Dios conoce, nadie se detuvo a reflexionar.'[131]

Estos comentarios eran la impresión de los habitantes de Ponce en ese momento. Ellos tenían los relatos de una leyenda sobre un Tsunami que había ocurrido en una isla de las Antillas Menores. Tan era ese miedo y el temor que tenían con el mar, que ni siquiera por un momento dejaron de correr hacia áreas elevadas. Esto nos indica claramente, que había total desconocimiento científico, en la población, sobre la génesis de los maremotos.

Un aspecto sumamente interesante, es que la población común, tenían la noción de ir a lugares altos a

de 2,865 pesos en tal barrio. El comisario de barrio, Ramón González, reportó que un vecino llamado Luis Vera perdió una casa de valor de 8,000 pesos, un tal Pedro Garriga perdió dos casas con valor de 2,000 pesos cada una y Antonio Rivas una casa de 8,000 pesos de valor. Esto indicaba claramente que en Ponce el terremoto afectó grandemente a la población.

[131] Fontan y Mera, *La Memorable noche...*, pp. 146-147.

protegerse en caso de que el mar se saliera de su posición normal. Esa prevención es la que igualmente las autoridades locales, hoy en día, enfatizan a la hora de que suceda un Tsunami en Puerto Rico. Prácticamente, no hemos cambiado mucho con relación a este tema relacionado con la prevención de un maremoto.

Al día siguiente, el gobernador Marchesi indicó que los temblores de ese día no fueron tan fuertes. La ansiedad y el pánico era la orden vigente en todos los pueblos en Puerto Rico. Los reportes de daños en el resto de la Isla estaban mayormente relacionados con las estructuras de mampostería y ladrillos. Otro aspecto del evento sísmico fue que el Dr. Coll y Tosté, informó que los eventos sísmicos duraron por semanas y que el 1° de diciembre del mismo año, se sintió un temblor fuerte.[132] Los reportes de temblores continuaron por los próximos meses de 1868, algunos de ellos salieron publicados en la Gaceta oficial. La serie de pequeñas réplicas relacionadas al terremoto del 18 de noviembre del 1867, nos hace indicar que este terremoto tuvo que haber sido de una magnitud teórica de sobre 7.2 grados en la escala Richter moderna.

Este evento sísmico es uno de los más fuertes que ha afectado a Puerto Rico en tiempos modernos. Aparentemente, debido a la serie de temblores sucedidos y los procesos burocráticos, el Ministerio de Ultramar a mediados del 1868, expresó lo siguiente:

> La anterior comunicación del Ministerio de Guerra aprobando las obras que se concedieran necesarias y en las edificaciones y edificios militares de Puerto Rico por consecuencia de los terremotos de noviembre y di-

---

[132] Coll y Tosté, *Boletín Histórico...*, vol. 5, pp. 373-375.

ciembre últimos. Provee trasladarle al Gobierno Superior Civil de aquella isla ara su conocimiento y a fin de que las tengan anunciadas y de la (sic) de facilitar por los oficiales de hacienda las cantidades necesarias para la ejecución de obras, de que se trata en el pre escrito Real orden prefiriendo las de reverenda urgencia...[133]

Claramente, se aprecia la ayuda de socorro y autorización del Ministerio de Ultramar para arreglar las obras que fueran necesarias. Un aspecto interesante es que tal aprobación oficial salió después de los seis meses de haber ocurrido el último temblor fuerte. Para el 12 de junio del 1868, todavía la orden estaba siendo escrita en el Ministerio. La propia orden se enfatizaba en arreglar con prioridad los edificios militares.[134]

Esta cita nos lleva a ver como en Puerto Rico los principales edificios gubernamentales que recibieron daños estructurales tardaron muchos meses en volver a la normalidad. El reflejo de Puerto Rico después del terremoto debió ser uno de edificaciones caídas, poca alimentación disponible y un trastorno de miedo psicológico por parte de la población.

Este panorama debió mantenerse inalterado por varias semanas después de haber sucedido los eventos

---

133 AHN, Ultramar, 1109, exp.77. Remisión de fondos para reparación de los daños causados por el terremoto en los edificios militares. Orden del 18 de mayo del 1868.

134 AHN, Ultramar, 1109, exp.77. Remisión de fondos para reparación de los daños causados por el terremoto en los edificios militares. Se pidieron 1,500 escudos para las obras del cuartel de San Francisco, 1,000 escudos para colocar canales en los barrancones de Puerto de Tierra, 11,000 escudos para la Real Fortaleza, 200 escudos para los puertos de San Juan, 2,000 escudos para el almacén americano, 200 escudos para el almacén de pólvora de Miraflores, 500 escudos para el Castillo de San Gerónimo, 200 escudos para fuerte de San Antonio y 400 escudos para el Castillo de San Cristóbal. Prácticamente, la prioridad principal para las autoridades eran los edificios relacionado con lo militar.

sísmicos del mes de noviembre. Aparentemente, ambos fenómenos naturales, "el huracán y el terremoto", junto a una pobre calidad de vida de la mayoría de la población y la ineficiencia gubernamental pudo haber abonado el terreno para que un grupo de patriotas hicieran un intento de revolución en Lares, el día 23 de septiembre del 1868.

Aunque, esta insurrección se estaba planificando desde unos años antes, se puede hipotetizar que los eventos naturales del 1867 abonaron el ánimo a un grupo de personas a unirse a la causa revolucionaria. A lo largo de nuestra historia, los huracanes y terremotos, han jugado un papel directo e indirecto en el comportamiento social de la población de Puerto Rico.

Otros eventos sísmicos a finales del siglo XIX

Después de los fenómenos naturales de 1867 y la fuerte agitación política del 1868 en la Isla, parece coincidencia que el conocimiento científico de los fenómenos climáticos comenzara a florecer. Además, las líneas telegráficas llegaron a Puerto Rico en el año 1869. Estos últimos, ayudaron a que se desarrollara un flujo comunicativo de mayor rapidez.[135]

Durante la década del 1870, se establecieron los primeros partidos políticos y la cantidad de delegados puertorriqueños aumentó en las cortes españolas.[136] Junto a eso hubo una pausa de temblores fuerte en

---

[135] Caldera Ortiz, *Historia de los ciclones y huracanes...*, p. 95. La primera línea de telégrafo iba de la capital hasta Arecibo, para el 1870 se envió otra línea para Ponce y el mismo año se envía un cable para las Antillas Menores. La compañía de las Indias Occidentales y Panamá fúe la responsable de hacer ese trabajo.

[136] Cruz Monclova, *Historia de Puerto Rico...*, 1979. Véase tomo 3 al 6 sobre los movimientos de los diputados y acontecimientos políticos en la Isla en el último cuarto del siglo 19.

nuestra Isla. Los anales de la historia tienen registrado que el 26 de abril del 1874 se sintió un temblor de magnitud intermedia en toda la Isla. La duración de este fue de dos minutos aproximados.[137] El 8 de diciembre del 1875, se sintió otro sismo de magnitud intermedia. Este temblor causó daños considerables a la iglesia de Arecibo.[138]

Para el día 15 de agosto del 1890, se sintió un violento sismo en toda la Isla. Determinar la hora del suceso es un poco difícil debido a que los múltiples reportes telegráficos provenientes de los municipios no concuerdan con la hora exacta. Ejemplo de eso, es que en Adjuntas se informó que sucedió a las 2:00 A.M., en Arecibo se sintió a las 1:55 A.M., en Dorado a las 1:30 A.M., y en Aguadilla a las 1:52 A.M.[139]

La duración del sismo fue aproximadamente entre 25 a 35 segundos. Esto indica, que la oscilación de las ondas sísmicas, tuvieron una velocidad variada, según la composición del subsuelo. Prácticamente se certifica lo que hemos escrito en el capítulo primero de este libro.

El alcalde de Dorado informó que según su apreciación la oscilación del temblor venia del norte de la Isla. Los daños reportados fueron mínimos en todos los pueblos que informaron sobre este. Aparentemente, las campanas de las distintas parroquias fueron las

---

[137] Díaz Hernández, *Temblores y terremotos...*, p. 20.

[138] Ibíd., p. 20.

[139] Archivo General de Puerto Rico, Fondo de Obras Publicas: Serie: Asuntos Varios: Legajo 205, Caja 159. Otros pueblos que se registraron fueron: Juana Díaz, Ponce y Barros, donde se informó que el temblor fue a las dos de la madrugada; Las Marías, Isabela, Toa Alta, Yabucoa y Yauco, también informaron el sismo.

protagonistas con el zumbido del sonido de las campanas.[140] Afortunadamente, este temblor pasó casi por desapercibido en la población. Creemos que este fue el último temblor de magnitud mediana del siglo XIX.

Para terminar con este capítulo, se puede apreciar que el siglo XIX fue un periodo de grandes cambios y retos, para nuestros antepasados. También fue el siglo en donde se notó un crecimiento e interés por llevar a cabo un mejor seguimiento sobre el tema de los temblores. Además, fue el siglo en donde más terremotos fuertes se han registrados.

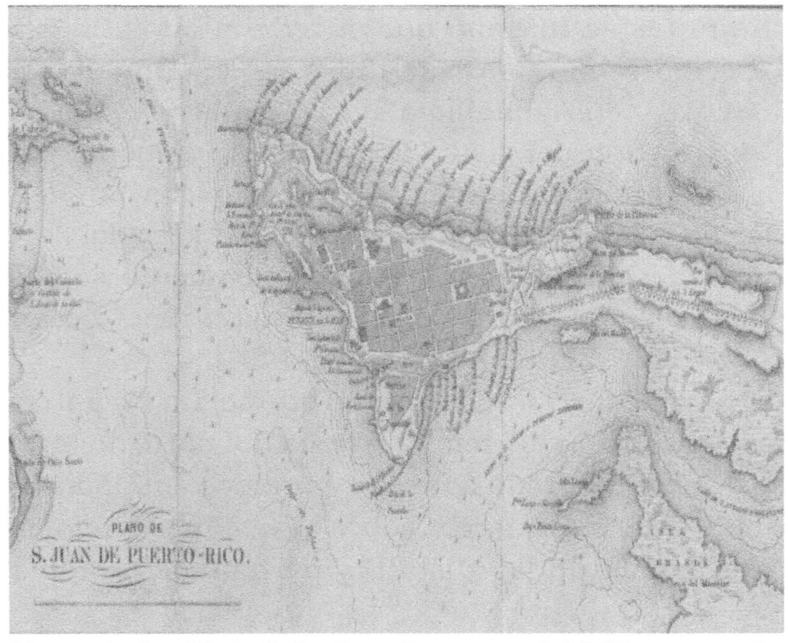

Mapa de la Ciudad de San Juan en el 1863, se puede notar como la población y la figura urbana, creció mucho más en comparación con los siglos anteriores. Mapa obtenido de la colección en línea de la Biblioteca de Nueva York.

---

[140] Archivo General de Puerto Rico, Fondo de Obras Publicas: Serie: Asuntos Varios: Legajo 205, Caja 159.

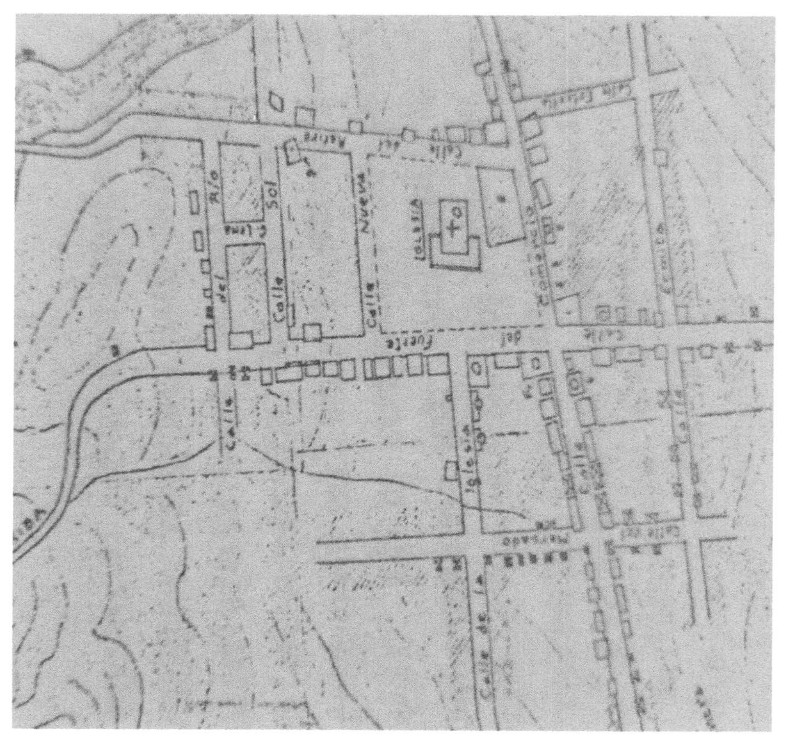

Este plano realzado en el 1870 por el agrimensor Augusto Braschi nos muestra la villa de Coamo. Se puede notar la poca cantidad de casas en la parte urbana de este pueblo. Archivo General de Puerto Rico, OOPP/OOMM, Legajo 21, Caja 220.

Imagen de una iglesia afectada por el temblor del 1918, cortesía de Byron Mitchell.

TERREMOTOS Y LA MODERNIDAD.

Prácticamente, el siglo XX fue uno de cambios drásticos para Puerto Rico. Es en este periodo que llega la modernidad científica, y con ella, una mejor compresión sobre el fenómeno sísmico. También vimos cómo la población tomó mayor conciencia sobre este tema y en el olvido quedaran las antiguas supersticiones. Pero a la vez, las costumbres religiosas y las rogativas, hechas por la población quedaron, lentamente, olvidadas y solamente mencionadas como parte de nuestra antigua historia, aunque en unos pocos lugares se continúan algunas tradiciones.

Comenzando el siglo XX, la isla de Puerto Rico experimentó cambios políticos, sociales y económicos gracias al cambio de soberanía luego de la derrota de España ante los Estados Unidos en la guerra de 1898. El gobierno norteamericano trajo un cambio en el paradigma existente en la Isla. Entre estos estaba la idea de progreso, el capitalismo y el desarrollo de una cultura predominantemente urbana, en donde se desarrollaron nuevas estructuras e incluso se hicieron proyectos en áreas inimaginables.

Pero el progreso y adelanto conllevó un cambio en el antiguo estilo de vida de nuestros antepasados. Era una sociedad basada en la ganadería y la agricultura. Aunque en un principio nuestra Isla continuó su desarrollo agrícola con la entrada de las corporaciones azucarera y las tabacaleras; luego se vio la entrada de la manufactura. Esto último fue en incremento a partir de la década del 1950. Sin duda alguna, la industrialización fue una de las principales cartas de desarrollo que proponía el Estado Libre Asociado.[141]

La llegada masiva de fábricas desde los Estados Unidos conllevó a que se promoviera la migración desde los campos hacia las áreas urbanas e incluso al exterior. Como consecuencia, las áreas urbanizadas se volvieron densamente pobladas y el gobierno tuvo que desarrollar una nueva estrategia para acomodar la población que venían de los campos.[142]

Un ejemplo que podemos describir sobre la estrategia gubernamental fue el desarrollo de los residenciales públicos. Sin duda alguna, el abandono del estilo de vida del campo provocó que se extinguiera la producción agrícola. Como resultado, hoy día dependemos en gran medida de los productos importados. Además, los antiguos bohíos de madera y paja fueron substituido por el cemento. Dato que de ahora en adelante será considerado un factor que hay que tener en cuenta a la hora de planificar contra un terremoto.

Como se ha podido percibir en este trabajo, Puerto Rico es una isla ubicada en zona de temblores y terremotos. Algunos de esos movimientos telúricos fueron lo suficientemente fuerte para causar daños. No obstante, en el marco histórico de Puerto Rico, específicamente durante la colonización española, el tema de los temblores y terremotos no era uno que llevara a que los mismos se registraran a cabalidad.

Sin embargo, la continuidad diaria del movimiento de las placas tectónicas era sentido a diario por los

---

[141] James Diests, *Historia Económica de Puerto Rico,* San Juan, Ediciones Huracán, 1988, pp. 200-280.
[142] Picó, *Historia general...*, p. 264.

campesinos. Estos acontecimientos telúricos pasaban a ser temas comunes entre la población. El fraile Abbad y Lasierra lo certificó en su obra. Excepto en situaciones específicas, como los terremotos del 1844 y 1867, los movimientos sísmicos en Puerto Rico eran algo común, cotidiano y corriente.

Posiblemente, esto ha abonado a que muchos historiadores no se interesen en este tema. Comenzando el siglo XX, los nuevos adelantos en la ciencia permitieron que hubiera una nueva forma de ver este fenómeno, que a su vez se llevó a que se comprendiera de manera correcta.

En la primera década del siglo XX, se registraron sobre dos docenas de temblores medianos. Los daños causados o registrados apenas eran mínimos. Uno de los primeros temblores registrados fue el del 13 de agosto de 1908, el cual hizo daño estructural al correo de Ponce.[143] Aparte de este incidente, no hubo otro evento sísmico registrado que haya hecho daños considerables en esos primeros años.

Los temblores registrados vienen de distintas partes del Caribe, a los que hay que añadir los que ocurren en otras partes del planeta y que eran noticia en la Isla. Un aspecto interesante es que en el pueblo de Ponce se repartió un memorial sobre un terremoto que sucedió en el sur de Italia, específicamente en Sicilia y Calabria.[144] Tal como había sucedido décadas anteriores, aquí también se organizó una junta para recoger

---

[143] Díaz Hernández, *Temblores y terremotos...*, p. 29.

[144] AHP, Fondo Ayuntamiento: Sección Secretaria: Sub serie Beneficencia: Serie Calamidades: Sub serie terremoto: Años 1863-1918: Caja S-285-3. El alcalde de Ponce, Simón Morel Gallart, invocó a una junta el día 12 de enero del 1909 para formar una comisión local para buscar víveres para las víctimas del terremoto de Italia.

víveres de primera necesidad.[145] Por lo que este buen acto, es una muestra de la gratitud de nuestra población.

Desafortunadamente, en un corto tiempo, en la escala geológica, la isla de Puerto Rico pronto experimentó un evento similar al de Sicilia. Debemos mencionar que la magnitud de la energía liberada va a depender mucho de la falla, del terreno subterráneo y de la energía acumulada. Aparentemente, la poca cantidad de temblores registrados entre el 1867 y la primera década de siglo XX, indicaba que algún lugar del Caribe se estaba almacenando una gran cantidad de energía sísmica. En cualquier momento esa olla de presión sísmica iba a estallar.

Terremoto del 11 octubre del 1918.

Para principios de octubre del 1918, en Puerto Rico todo corría normal y corriente. Una época denominada por los conflictos huelgarios, debido a las demandas de los obreros para conseguir mejores condiciones de trabajo.[146] El comportamiento de la tierra, por lo menos en la percepción de la gente era uno apacible, por lo que la posibilidad de un terremoto no estaba en la mente de los pobladores.

---

[145] AHP, Fondo Ayuntamiento: Sección Secretaria: Sub serie Beneficencia: Serie Calamidades: Sub serie terremoto: Años 1863-1918: Caja S-285-3. Se crearon 4 comisiones en los siguientes sitios: Calle Marina y Atocha, Reina e Isabel. Entre los donantes estaban: La Central Aguirre que aportó $25.00, la cooperativa Ahorro Ponceño aportó $20.00, el Banco de Puerto Rico sucursal de Ponce aportó $20.00 y la compañía de Raúl Valdecilla aportó $13.00. El 13 de febrero del 1909, se contabilizó lo recogido y el recaudo total fue de $537.39.

[146] Mary Francés Gallart, *Tabacalero y socialista en Cayey: Salvador Gallart Alonso,* San Juan, Editorial Post Data, 2011, p.43. Prácticamente, en todos los renglones de trabajo se dieron huelgas. La literatura relacionada con este tema es abundante.

El 11 de octubre a media mañana sucedió en la Isla un fuerte terremoto con epicentro al norte de Puerto Rico que se sintió con gran intensidad. En el área de Aguadilla, el océano en forma de maremoto se metió a cientos de pies del mencionado pueblo. Los reportes sobre la hora que ocurrió el terremoto son variados, debido a la localización geográfica de los municipios afectados y al tiempo de la sincronización del reloj de tales pueblos.

En Coamo, Cidra, Cayey, y Aibonito, el terremoto se sintió a las 10:15 A.M., la duración del potente sismo fue de 20 segundos. En Cataño, se registró a las 10:14 A.M., en Guaynabo a las 10:20 A.M. y en Vega Alta a las 10:25 A.M. La durabilidad del potente temblor en estos pueblos fue entre los 35 a 38 segundos aproximados.[147] La diferencia en los horarios fue una muestra que indica que los reportes no son totalmente exactos.

Los reportes de daños en la Isla son sumamente extensos y solamente daremos un pequeño insumo para que tengan una idea de la magnitud de este terremoto, que a nuestro entender debió haber estado rondando los 7.5 grados aproximados en la escala de Richter.[148]

Los reportes en los municipios fueron informándose día a día, por lo cual el gobierno pudo reaccionar de manera pertinente y hacer reparos con los fondos

---

[147] Archivo General de Puerto Rico, Fondo de Obras Publicas: Serie: Asuntos Varios: Legajo 208, Caja 161.

[148] Coll y Tosté, mencionó en el *Boletín Histórico* que el sismógrafo utilizado era quinemétrico. Debo recordar que todavía para el 1918 no estaba inventado la escala Richter, solamente se utilizaba la escala de Mercalli. *El Primera Hora,* martes 14 de enero del 2014, p. 5. Los estimados modernos teorizan que el terremoto del 1918 tuvo su magnitud de 7.3 en escala de Richter.

de emergencia. Para el 15 de octubre, se estaba realizando trabajos de construcción relacionados con el terremoto en carreteras que iban de Santurce a Bayamón, Barceloneta a Arecibo, Añasco a Mayagüez y a San Germán. Varios puentes en el área oeste fueron severamente afectados, entre estos estaban los que cruzaban los ríos Guajataca, Camuy y Culebrinas.[149] Las casillas de Caminero que iban de Coamo a Juana Díaz, habían quedado casi todas destruidas en su totalidad. La cuantía de gasto de reparo fue estimada inicialmente en $1,800.[150] A continuación, una síntesis del informe de Ricardo Skeret director de Obras Publicas de Puerto Rico:[151]

- El gasto total de la construcción de las casillas de camineros en la Isla fue estimado en $30,400.
- La reparación de puentes con un costo estimado de $36,750. Algunos de los puentes dañados fueron los que cruzaban los ríos de Camuy, Tanamá, Guajataca, Yagüez; el puente Mirasol (ubicado entre Mayagüez y San Germán), puente Isabel II (entre Mayagüez y San Germán) y puente los Frailes (entre San Juan y Caguas).
- La reparación de las alcantarillas se estimó en $38,916. La mayoría de las alcantarillas se reportaron en Mayagüez y en el área oeste, pero en lugares de la montaña como Aibonito y Barros, se reportaron $1,500 en pérdidas.

---

[149] Archivo General de Puerto Rico, Fondo de Obras Publicas: Serie: Asuntos Varios: Legajo 205, Caja 159.

[150] Archivo General de Puerto Rico, Fondo de Obras Publicas: Serie: Asuntos Varios: Legajo 205, Caja 159.

[151] Archivo General de Puerto Rico, Fondo de Obras Publicas: Serie: Asuntos Varios: Legajo 205, Caja 159.

- El costo por remoción de derrumbes fue estimado en $5,760. Algunas de las carreteras fueron: Yabucoa a Maunabo, Mayagüez a las Marías y Ponce a Arecibo. La cantidad de metros cúbicos derrumbados en tierra rondaban los 2,800 y 6,000. El total de gastos relacionados con las carreteras fue de $111,826.
- El edificio de la Alcaldía de Ponce había sufrido serios daños y especialmente en las áreas de Obras Públicas, Registro Civil, Contaduría y Tesorería. Se recomendaba un presupuesto de $60,000 para reparar la alcaldía y hacerla moderna, cómoda y funcionar.[152]

Otro reporte de Obras Públicas reseña los siguientes puntos:[153]

- El reporte de Obras Públicas de Coamo señalaba que los edificios estaban en buenas condiciones. El piso del hospital estaba en buenas condiciones. La Iglesia Católica no sufrió daños. Un edificio escolar de ladrillos resulto averiado debido a su mala posición de asentamiento. La Iglesia protestante fue ligeramente acariciada y en el campanario se formaron algunas grietas.[154]

---

[152] AHP, Fondo Ayuntamiento: Sección Secretaria: Sub serie Beneficencia: Serie Calamidades: Sub serie terremoto: Años 1863-1918: Caja S-285-4. El reporte fue hecho el 6 de noviembre del 1918. Además, el antiguo cementerio de Ponce había sufrido serios daños y especialmente en el área de las paredes. En total, todo el reporte en Ponce se hizo entre los días 20 y 26 de octubre del 1918.

[153] Archivo General de Puerto Rico, Fondo de Obras Publicas: Serie: Asuntos Varios: Legajo 205, Caja 159.

[154] Fielding y Taylor, *Los terremotos de Puerto Rico...*, p. 24.

- En Comerio los edificios escolares y municipales estaban en buenas condiciones.
- Aguas Buenas era la misma situación que la anterior descrita.
- En Añasco, dos edificios estaban totalmente dañados y la perdida estimada fue en $25,000.
- En Bayamón, varios edificios con daños intermedios, perdida estimada en $200.
- En Cabo Rojo, el cementerio sufrió daños en $1,500 y varios edificios con daños intermedios pero su uso no era riesgoso.
- En Humacao, varios edificios con serios daños y la estimación fue de $5,000. Varias carreteras dañadas con costo de arreglo en $200 y otros daños no identificados, cuyo estimado era en $200.
- En Hatillo, los edificios estaban en buenas condiciones.
- Las Piedras, los edificios municipales y escolares estaban en buenas condiciones.
- En Salinas los daños fueron menores.
- En Yauco se reportaron daños ascendentes a $5,000.
- En Ponce, los daños generales fueron estimados en $80,500.
- En Mayagüez, se reportaron daños en $172,500.

Se puede apreciar claramente que los efectos del terremoto se sintieron en toda la Isla, especialmente en la región oeste y norte. En total se perdieron aproximadamente 116 vidas y se estimaron las pérdidas en

$4,000,000.[155] La mayoría de las perdidas, tanto en vidas como en materiales fueron en el área oeste de la Isla. Como era costumbre, estos terremotos dejaron a su paso una serie de réplicas fuertes, el día 4 de noviembre del mismo año se sintieron varias de ellas en toda la Isla.[156]

El temor entre la población por tales sismos fue evidente. Un ejemplo de esto último es que en Aguas Buenas hubo un incidente en una fábrica de tabaco y la unión Cigar Maker Internacional Union of América tuvo que defender a unos tabaqueros que se negaban ir al taller. Eso era debido a los constantes temblores y el miedo provocados en ellos, que llevó a los trabajadores a pensar que el edificio se les podía venir encima.[157]

Un caso interesante, es que se desarrollaron epidemias en algunos pueblos. Tal caso es el del pueblo de Ponce, en donde se registró una epidemia de influencia en el hospital Tricoche y la población afectada era igual en los campos como en las áreas urbanas.[158] Las condiciones adversas provocadas por el terremoto y la mala salubridad en algunas regiones se combinaron para afectar a la población en general.

El área más perjudicada en todo Puerto Rico fue la zona de Aguadilla, donde había sucedido el maremoto.

---

[155] Ibíd., p. 3.

[156] Archivo General de Puerto Rico, Fondo de Obras Publicas: Serie: Asuntos Varios: Legajo 205, Caja 159.

[157] Archivo General de Puerto Rico, Fondo de Obras Publicas: Serie: Asuntos Varios: Legajo 208, Caja 161.

[158] AHP, Fondo Ayuntamiento: Sección Secretaria: Sub serie Beneficencia: Serie Calamidades: Sub serie terremoto: Años 1863-1918: Caja S-285-5. Esta información salió a la luz el 19 de noviembre del 1918, la administración local justificaba su atención a los enfermos, pero necesitaban urgentemente el dinero que el gobierno les tenía pendiente dar, para así expandir el área de tratamientos.

Para el 12 de diciembre del 1918 se había aprobado una ley para reparar las casas de los perjudicados de los temblores en Aguadilla.[159] La lista relacionada con la petición es extensa por lo que expondré una síntesis de la información relacionada.

El informe inicia con la descripción física de las casas afectadas. Estas eran de techos de yaguas, con tablas en el piso y tabiques a los lados. Varios de los peticionarios eran residentes de la costa y el maremoto les había hecho perder todo.[160]

La ley aprobada fue conocida como la Núm. 8. Asignaba, la cantidad de $30,000 para auxiliar a varios municipios siendo Aguadilla el principal de ellos. Los importes de la reparación de las casas más pobres no excedían los $250. La ayuda se extendió a otros pueblos en los años siguientes hasta el 1921. Mayagüez y Añasco, fueron los dos pueblos con más peticiones, estos municipios también habían sufrido serios daños con el terremoto.[161] A continuación, el listado de damnificados que se vieron amparados bajo la Ley Num.8 del día 12 de diciembre del 1918[162]:

- En Mayagüez, 326 peticionarios, 225 aprobados y costo total de $21,860.22.
- En Aguadilla, 225 peticionarios, 183 aprobados y costo total de $41,621.84.
- En Añasco, 171 peticionarios, 143 aprobados y costo total de $13,673.14.

---

159 Archivo General de Puerto Rico, Fondo de Obras Publicas: Serie: Asuntos Varios: Legajo 206, Caja 160.
160 Archivo General de Puerto Rico, Fondo de Obras Publicas: Serie: Asuntos Varios: Legajo 206, Caja 160.
161 Archivo General de Puerto Rico, Fondo de Obras Publicas: Serie: Asuntos Varios: Legajo 208, Caja 161.
162 Ibíd.

- En Aguada, 86 peticionarios, 63 aprobados y costo total de $8,800.30.
- En Ceiba, 1 peticionario con aprobación y costo total de $250.
- En Utuado, 4 peticionarios, 3 aprobados y costo total de $250.
- En Lajas, 1 peticionario con aprobación y costo total de $92.15.
- En Ponce, 1 peticionario, 1 aprobación y costo no mencionado.
- En San Sebastián, 2 peticionarios, 2 aprobaciones y costo no mencionado.

La cantidad total de peticionarios entre los pueblos mencionados alcanzó un total de 869, se aprobó la construcción de 620 casas y el costo monetario de las mismas alcanzó los $86,803.65.[163] Básicamente y según la documentación, las casas construidas eran de modalidad económica. En otras palabras, eran casas sencillas y rusticas. El resultado general de este terremoto y maremoto fue la considerable destrucción material y la impresión psicológica marcada en los habitantes de Puerto Rico para este periodo histórico.

En la actualidad, muy pocas personas de esa época quedan vivas y los existentes no recuerdan mucho, debido a que aún en ese periodo era niños pequeños. Por lo que apenas quedan recuerdos vivientes sobre los acontecimientos de los temblores del 1918. Sin embargo, para los sobrevivientes siempre estuvo el temor a que, nuevamente, ocurriera un terremoto de esas magnitudes.

---

[163] Archivo General de Puerto Rico, Fondo de Obras Publicas: Serie: Asuntos Varios: Legajo 208, Caja 161.

Imagen de una casa afectada por el terremoto en el área oeste del 1918, fotografía cortesía de Byron Mitchell.

LA DEMOCRACIA

DIARIO EXCEPTO LOS DOMINGOS

TERREMOTO DEL VIERNES

Mayagüez está en ruinas

HORROROSA HECATOMBE

Imagen de la portada de *La Democracia*, lunes 14 de octubre del 1918. La noticia principal son los daños en Mayagüez.

Continuación siglo XX y siglo XXI.

Luego del gran terremoto del año 1918, la actividad sísmica continúo de manera moderada y mediana a través del siglo XX. Los adelantos en los sismógrafos y el incrementó por el estudio de los temblores en el mencionado siglo ha llevado que los registros sísmicos sean mucho mayores y como consecuencia la evidencia sísmica se puede documentar mejor. Esto nos lleva a afirmar que el subsuelo en la zona de Puerto Rico está en constante movimiento.

La variedad de sismos sentidos comúnmente va desde los 1.0 hasta los 5.5 en la escala Richter. En momentos a través del siglo XX se han sentido en ocasiones temblores un poco más fuerte pero solamente en áreas específicas. Un ejemplo ocurrió en 1978, cuando se sintió en Ponce un temblor de magnitud cercana a las 6.0.[164] Según mis recuerdos, en 1989, se sintió otro temblor de intensidad mayor de los 5.5 grados.

No obstante, estos eventos fueron aislados y no pasaron de ser un susto para los que los percibieron. De manera general, hay cientos de temblores semanalmente, todos ellos captados por la Red Sísmica de Puerto Rico, pero afortunadamente son todos de menor magnitud. Cada uno de estos temblores es informado y entra a un banco de datos que es de dominio público y al cual podemos tener acceso.

Ya entrado el siglo XXI, se registró en el 2004 un fuerte sismo de 5.6 grados en el pueblo de Aguas Buenas. Me viene a la memoria un temblor registrado el 10 de mayo del 2010 de magnitud de 5.8 grados, sentido en el pueblo de Moca. Otro que se sintió en el

---

[164] Díaz Hernández, *Temblores y terremotos…*, p. 50.

mismo año, fue en la Noche Buena con intensidad de 5.4.[165] No debemos olvidar que nuestra población tenía presente los acontecimientos del fuerte terremoto de Haití sucedido en el 12 de enero del mismo año.[166] Además, se tenía latente los fuertes terremotos de Indonesia en diciembre del 2004 y el sucedido en Chile a mediados del 2011. Sin olvidar el terremoto y maremoto japonés, que sucedió también en los meses de primavera del 2011.[167] Todo esto nos indica que los terremotos no son predecibles y que pueden ocurrir sin aviso alguno.[168]

En la madrugada del 13 de enero del 2014 sucedió otro fuerte sismo. Mucha gente que vive en la zona urbana sintió el temblor con una duración de 10 a 15 segundos; como es típico, los sismógrafos tomaron información sobre diversas ondas sísmicas por varios minutos más.[169] La magnitud que fue informada por la Red Sísmica de Puerto Rico concluyó que el sismo fue de 6.4.

Este fue el temblor más fuerte en el área en 68 años[170], la distancia del epicentro fue mayor a los 120

---

[165] La Red Sísmica.

[166] *El Primera Hora,* martes 14 de enero del 2014, p. 4. El terremoto de Haití fue medido en la escala Richter de 7.0 y dejó sobre 100,000 muertos. El epicentro del terremoto fue a una profundidad de 13 kilómetros en el pueblo de Leogane. Si este terremoto hubiese sido en el mar la posibilidad de Tsunami en el Caribe hubiese estado latente.

[167] El maremoto sucedió el día 11 de marzo del 2011.

[168] Como si todo esto fuera poco, debemos añadir que el cine ha abonado a la histeria colectiva sobre los terremotos al ser parte de los temas fílmicos que se realizan a menudo.

[169] Debo indicar que esa mañana me encontraba en mi hogar, en Coamo, hablando por teléfono con la que hoy es mi esposa, quien se encontraba en Santa Isabel, mientras que el evento pasó desapercibido para mí, ella pudo sentir las ondas sísmicas, lo que demuestra que no necesariamente este tipo de actividad se siente igual en todos los lugares.

[170] *El Primera Hora,* martes 14 de enero del 2014, p. 5. Se informó que para el 28 de julio del 1943, se registró un sismo de 7.5 gados en la cercanía de la Trinchera de Puerto Rico. Para el 4 de agosto del 1946, se

kilómetros y el epicentro se registró a unas 40 millas del pueblo de Hatillo. La conmoción en la población por el temblor fue bastante alta y rápidamente los medios noticiosos con su particular costumbre de sobre informar a la gente, crearon más dudas que respuestas.

Por los días siguientes, la Red Sísmicas registró cientos de réplicas y algunas de ellas, sobrepasando la escala de 5.0 grados. Aun, es impreciso afirmar si el fuerte temblor sentido es un aviso de un evento mayor o tal vez haya sido el evento sísmico mayor relacionado con la actividad telúrica. Esta última pregunta, puede ser contestada por los futuros historiadores y estudiosos del tema. Lo que sí sabemos es que en ese momento se estaba llegando a los 100 años de no haberse repetido un evento parecido al del 1918. Tal vez el sismo del 13 de enero del 2014, pudo ser el sismo mayor que los sismólogos esperan en el área, tal vez fue una advertencia para que la población actual se prepare para un evento sísmico de mayor envergadura.

Otro evento que se sintió posterior al indicado fue el ocurrido el 28 de mayo del mismo año, un sismo con epicentro a una distancia de 75 millas de Mayagüez y profundidad mayor de 100 kilómetros.[171] Posiblemente, son síntomas de algo más grande o posiblemente un evento aislado. Esto indica que la tierra en cualquier momento podía emitir ondas sísmicas de magnitud considerable. Por lo que es meritorio estar preparado para cualquier evento de envergadura. La

---

registró uno al sur de la Republica Dominicana con magnitud de 8.0 grados, pero ambos al estar alejados de Puerto Rico se sintieron con temblores menos fuertes.

[171] *El Primera Hora*, jueves 29 de mayo del 2014, p. 4-5.

historia es un gran vehículo para comprender la actividad sísmica de nuestra región y por eso es sumamente importante consultarla, para así comprender mucho mejor el papel de los terremotos en la sociedad puertorriqueña.

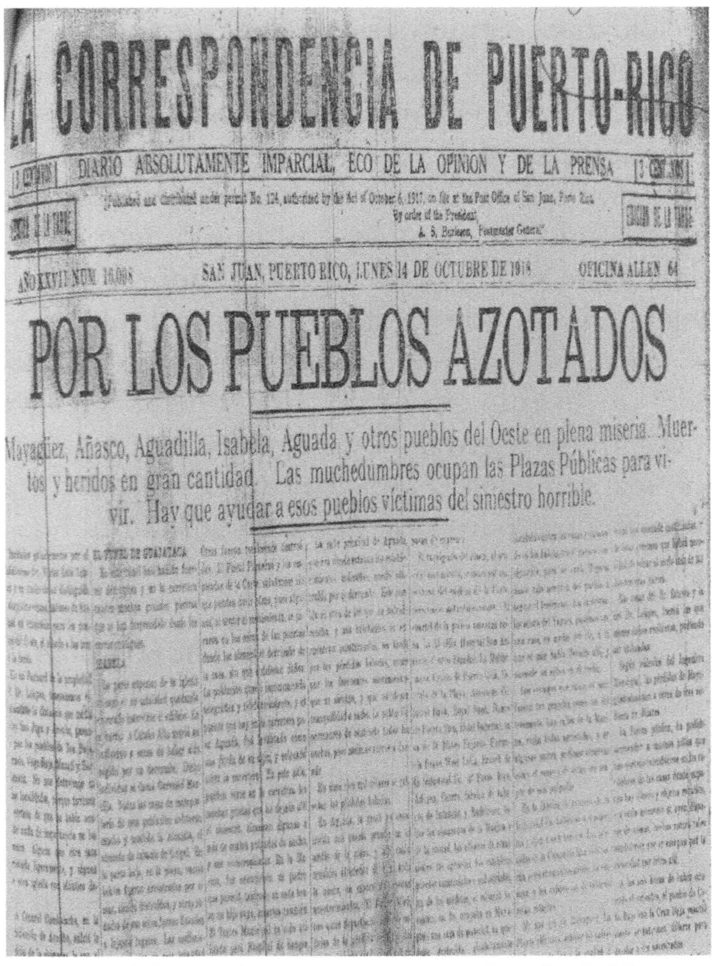

LA CORRESPONDENCIA DE PUERTO-RICO

DIARIO ABSOLUTAMENTE IMPARCIAL, ECO DE LA OPINION Y DE LA PRENSA

SAN JUAN, PUERTO RICO, LUNES 14 DE OCTUBRE DE 1918

POR LOS PUEBLOS AZOTADOS

Mayagüez, Añasco, Aguadilla, Isabela, Aguada y otros pueblos del Oeste en plena miseria. Muertos y heridos en gran cantidad. Las muchedumbres ocupan las Plazas Públicas para vivir. Hay que ayudar a esos pueblos víctimas del siniestro horrible.

Imagen del rotativo *La Correspondencia* del lunes, 14 de octubre del 1918. Se puede apreciar como salen anunciados todos los pueblos del oeste.

Bohío de paja que se quedó de pie después del terremoto del 1918. Fotografía cortesía de José L. Rodríguez de Rodríguez, Cheshire, Ct.

Ruina de una casa en el área oeste, después del terremoto. Fotografía cortesía de José L. Rodríguez de Rodríguez, Cheshire, Ct.

Otra imagen del área oeste en el 1918. Fotografía cortesía de José L. Rodríguez de Rodríguez, Cheshire, Ct.

Puente caído sobre el río Yagüez después del terremoto del 1918. Informe del Comisionado del Interior de Puerto Rico. San Juan, 1923.

Imagen de la reconstrucción de una iglesia en Ponce después del terremoto. Fotografía cortesía de José L. Rodríguez de Rodríguez, Cheshire, Ct.

Ruinas del antiguo faro de Guánica, enero 2020. Foto del autor.

Ruinas de la Escuela Intermedia de Guánica, enero 2020. Foto del autor.

LOS TEMBLORES DE ENERO 2020

Luego de pasado dos años y medio del potente huracán María, la población se había mantenido al tanto con el tema de los desastres naturales. Especialmente, con lo que tienen que ver con el clima. El impacto de María hizo trascender a toda una Isla. Durante el 2018, la Red Sísmica y entidades como la Sociedad Protectora del Patrimonio Mayagüezano estuvieron llevando recursos para que ofrecieran charlas sobre ciencia e historia de los terremotos en Puerto Rico. El motivo de esto era por el aniversario número 100 del último gran evento telúrico que había afectado a la Isla. En el campo de la historia, también se le conoce como los acontecimientos del sismo de San Fermín. Cuya efeméride fue el 11 de octubre del 1918. También la propia Red hizo diversos simulacros relacionados con terremotos. A esos eventos se le llamó "Shake Out". El motivo principal era para que la población tuviese una idea precisa de cómo reaccionar ante el paso inesperado de un sismo de magnitud.

Una de las acciones que me llevaron a ofrecer charlas por los pasados tres años en relación con la historia de los terremotos. Era para indicarle a la población de que la tierra tiembla por época y que había que estar pendiente al inicio de una nueva etapa de movimientos sísmicos intenso. Esto último debido a que la investigación histórica nos indica que por cada siglo la isla es afectada entre una y dos veces por terremotos de magnitud mayor. Es decir que movimientos telúricos que pueden sobrepasar fácilmente el rango de seis y siete en la escala Ritcher. Hacia esa dirección nos vamos en esta nueva versión. Recordemos que la historia es un vehículo que nos ayuda a planificar hacia el futuro.

Sismo del 28 de diciembre del 2019 hasta el 7 de enero del 2020

Las primeras noticias sísmicas empezaron a surgir a eso de las 6:00 P.M. del día 28 de diciembre del 2019. Un temblor de intensidad de 4.8 fue reportado, estando su epicentro al sur de Guayanilla, a una profundidad menor de diez kilómetros, por lo que fue sentido en toda la región e incluso en lugares más retirados en la montaña y el área este. Como ha sido casual por los pasados diez años, este tipo de temblores se habían sentido pero la conmoción en las personas había hecho un efecto pasajero. Al cabo de un rato, la existencia de esos sismos había pasado como un dato más registrado por la Red Sísmica y el Servicio Geológico de los Estados Unidos. Claro, aun estaba en la memoria el temblor de la Nochebuena del 2009, el del 13 de enero del 2015 e incluso uno de 4.6 sentido fuertemente en el área sur a mediados del mes de octubre. Ese último sismo cuyo epicentro fue entre Salinas y Guayama fue sentido con notoriedad en los pueblos de Coamo, Juana Díaz, Santa Isabel, Salinas, Ponce, Guayama y Patillas.

Como dato curioso, en el complejo de Aguas Termales se vio un aumento en la temperatura del líquido proveniente del interior de la tierra, el cual incrementó su intensidad en unos 8% y la temperatura entre 5 y 6 grados. Es decir, de 102 grados Fahrenheit se elevó a 108 en las piscinas. Mientras que en el lugar que emana el agua (manto freático), de 105 subió a 111. El evento sísmico comprobó que las aguas termales era una especie de acuífero sujeto a las presiones del interior de la tierra y no a eventos de la superficie. También certificaba que el propio lago interno está a profundidades mayores, el líquido se cuela por fisuras internas y se nutre de un compuesto de minerales que incluyen silicio, magnesio, hierro, sulfuro de carbono, sulfuro de carbonato, entre otros asociados al interior de la tierra. El propio proceso, hecho a grandes profundidades, lleva a que el agua se caliente. Estos detalles derrumban la teoría de que hay un volcán activo debajo del complejo. La combinación del agua caliente junto a estos minerales ayuda a que los músculos y huesos del ser humano sientan relajación. En muchos casos se mejoran condiciones musculares y óseas. Al pasar el tiempo, la intensidad del agua volvió a bajar y al cabo de cinco semanas había vuelto a la normalidad.

En los pasados años y meses, la Red Sísmicas registró una alta densidad de pequeños temblores a lo largo y ancho de las fallas que están rodeando nuestra Isla. Esos datos se vieron como normal y corriente, eran indicativos de que se liberaba energía constantemente y eso podía ser indicativo de que había probabilidades de que el entorno se librara de un sismo de magnitud mayor. Con esa mentalidad fue afrontado el sismo de 4.8 sentido por la tarde del día 28 de diciembre del 2019. Después se sintieron decenas de réplicas asociadas al mismo por los siguientes días. Este patrón se veía común, debido a que la prescripción científica general es que la actividad sísmica libera energía cinética y ayuda a que no suceda un terremoto de magnitud alta. Por lo tanto, gran parte de la Isla se olvidó del sino del 28 de diciembre y continuaron celebrando las navidades e incluso el año nuevo con una intensidad bastante notable. Siendo la pirotecnia protagonista mayor en comparación con otros tiempos.

Los preparativos hacia el Día de Reyes fueron planificados con normalidad a pesar de que algunas réplicas continuaban. Así que a eso de las 6:33 A.M.[172]

---

[172] Se debe indicar que ese tiempo fue tomado de la marcación de mi celular. Algunas personas registraron el evento a las 4:30 y otros a las 4:35. Esto es común, en el pasado dictamos ejemplo de la variedad de diferencia de minutos en la registración del temblor. Esta percepción aún está en el presente., debido a que no todos los relojes están calibrados a la misma hora. En los temblores de 1890 y 1918 no hubo un consensó de hora precisa a nivel general.

fue sentido un fuerte temblor en la región suroeste de la Isla y casi todo Puerto Rico. En esta ocasión fue un fuerte sismo de magnitud 5.7 en la escala Richter con cuatro a cinco segundos de duración. El epicentro había sido al sur de Guánica a una distancia menor de siete kilómetros de la superficie oceánicas. Una cantidad definida de la población se sintió con miedo ante tal evento, pero fuera de ahí aparte de los lugares más cercanas del epicentro, todo había vuelto casi a la normalidad. La diferencia de este temblor de magnitud intermedia con el del 28 de diciembre es que hubo daños estructurales en los pueblos de Guánica, Yauco y Guayanilla. Durante el propio día de Reyes, se sintieron sobre una docena de réplicas sentidas a gran parte de la mañana y tarde. Estructuras turísticas e históricas fueron las primeras en recibir daños. Entre estas la famosa Cueva Ventana y el Faro de Guánica, ambos lugares casi se derrumbaron en esos eventos. Varias casas ubicadas en Guánica y Guayanilla sucumbieron. Rápidamente se abrió un debate sobre la pésima calidad en materiales y procesos de construcción en Puerto Rico.

En la madrugada del 7 de enero del 2020, gran parte de la población dormía después de la fiesta de celebridad de Reyes. A eso de las 4:32 A.M., se sintió un sismo intenso, el cual, por poco, me tira de la cama. Estimé la duración del evento unos 15 segundos. La energía eléctrica fue interrumpida de manera inmediata, al igual que las señales telefónicas. Las personas que vivían en los alrededores de mi apartamento salieron despavoridas y llorando. La conmoción había sido general y las noticias del fuerte temblor fueron a nivel general. Incluyendo en algunas partes de las Isla Vírgenes. Luego de llegada la señal de internet (10 minutos después del sismo), me di cuenta de que este evento había sido el más conmocionar desde el huracán María. Luego de pasado ese terremoto, como es común, una serie de réplicas de intensidad un poco menor fueron sentidas e hicieron que las personas no durmieran el resto de la madrugada. La más notables de las réplicas fue una de 5.1 a las 5:00 A.M. y otra de 5.9, a las 7:10 A.M., esta última con un movimiento casi parecido al fuerte. Este servidor junto a su esposa corrió rápido bajo una mesa a protegerse. Parecía que estaba en una carrera de 100 metros dentro de mi propio apartamento. Muchos se sintieron así también.

La magnitud del sismo fue estimada en 6.6 pero reajustado a 6.4.[173] El epicentro fue al sur, entre Guánica, Yauco y Guayanilla, a una profundidad menor de cinco kilómetros de la superficie oceánica. Hizo que las autoridades emitieran una alerta de maremoto. Este comunicado lo emite el gobierno cuando es un sismo cuya magnitud ronda entre los 6.0 y 6.9. Esta alerta es para que las personas tengan conciencia de que, si vive cerca de la playa, este atento a nuevas noticias. En relación con los avisos de maremotos, se dan de 7.0 hacia arriba y ahí la población costera debe desalojar por precaución. Ante los eventos de la madrugada del día 7, la alerta emitida hizo que la población del sur de Santa Isabel, Juana Díaz, Ponce, Peñuelas, Guayanilla y Guánica saliera rápido de la zona. Eso causo un alto flujo vehicular en los respectivos pueblos. El fuerte temblor fue sentido a nivel general, incluyendo Islas Vírgenes y la Republica Dominicana.

En el casco urbano de Ponce, a la media hora de haber pasado el sismo de mayor intensidad, una gran cantidad de personas fueron a las gasolineras abastecerse de combustible. Esta costumbre similar a lo que había pasado en el huracán María se vio reflejada en buena parte de la población. Las filas de las gasolineras fueron largas en muchos puestos del área sur de la Isla.

---

[173] Los sismógrafos emiten una medición inicial, luego de eso se vuelve analizar la data numérica de la onda. Esa revisión de la estructura de la onda hace que la medición inicial sea modificada. Se debe indicar que se analiza información de otras estaciones sísmicas. El consenso entre todas hace reajustar la medida de intensidad del sismo.

Los informes de daños y peligros empezaron aflorar después de haber amanecido. Nombrarlos todos es digno de otra subsección de este capítulo. Pero los más notables en la primera hora de la mañana era la caída de la iglesia de Guayanilla, daños estructurales del malecón de Guánica y la caída de una escuela de varios pisos en las cercanías del referido pueblo. También hubo daños graves en la Guancha, en Ponce, y se desalojó un edificio de más de ocho pisos que estaba agrietado. La antigua hacienda azucarera en el barrio Barinas del pueblo de Yauco se desplomó. En fin, las noticias fueron extensas.

A lo largo del 7 de enero, gran parte de la Isla estuvo sin energía eléctrica y se sintieron réplicas cuyas magnitudes oscilaron entre los 4 y 5 grados en la escala Richter. Un dato de interés personal fue que el día que este sismo se da coincidió con el natalicio de mi esposa, Noemí.

También debemos mencionar que la primera muerte asociada con este evento ocurrió en Ponce. En este caso fue un señor septuagenario que tenía una casa en un segundo piso en la urbanización Brisas del Caribe. Su muerte se da cuando una pared de una estructura en construcción colapsó sobre él. Para el 10 de enero se produce la segunda muerte por colapso de estructura. En esta ocasión fue en el pueblo de Guayanilla cuando una dama se resguardó durante una réplica en el baño de su hogar y el techo de la estructura colapsó causándole la muerte al momento. Esta muerte fue asociada a una réplica sucedida ese mismo viernes. Se debe indicar que las múltiples réplicas acabaron de debilitar muchas estructuras solidas que no estaban bien construidas o simplemente que no fueron construidas con los nuevos códigos de construcción. Además, con cada movimiento telúrico el temor de la población se reflejaba en las redes sociales y por otros medios de comunicación. Incluso en Yauco una anciana de noventa y dos años murió de un infarto después de una réplica en el mismo viernes 10 de enero.

Un detalle que no se puede obviar en esta publicación es que la población isleña ha tomado un papel importante a la hora de socorrer a los hermanos vecinos sureños. Desde el miércoles 8 de enero y por varias semanas consecutivas muchas entidades privadas, sin fines de lucro e incluso municipales hicieron su propia tarea de repartir suministros de agua, comida caliente, casetas y ropa para personas que perdieron todo. Incluso para residentes que temen volver a sus casas debilitadas por la frecuencia de los sismos. Las secuencias de eventos causados por el huracán María abonó grandemente para que muchas personas perdieran confianza en las autoridades gubernamentales estatales.

En las primeras dos semanas del paso de los fuertes temblores, el gobierno central estuvo opacado en un tercer plano. A esto se le añade que el sábado 18 de enero del 2020 fueron descubiertos unos almacenes en la cercanía de la Guancha en Ponce, donde se encontraban miles de suministros guardados y perdiéndose. Asunto que causó una histeria a nivel nacional que tuvo consecuencias en el equipo de trabajo de la gobernadora Wanda Vázquez, quién expulsó a los secretarios de Vivienda, Emergencia y Familia.[174] Las malas prácticas sucedidas después del paso del huracán María volvieron a repetirse. Por esas acciones, la credibilidad de los líderes políticos puertorriqueños decayó en los Estados Unidos y en la propia población local. No ha de extrañarnos que muchas personas decidieron recolectar ayudas y llevarlas por sí mismos, ya que no confiaban en el gobierno para tales acciones.

Por otro lado, el presidente de los Estados Unidos, Donald Trump, de forma documental, emitió una or-

---

[174] *El Vocero de Puerto Rico*, lunes 20 de enero del 2020, pp. 3-4.

den de desastres para las regiones del suroeste, específicamente Guánica, Guayanilla, Ponce, Peñuelas y Yauco.[175] Con esta declaración de desastre, la entidad federal de manejo de emergencias (FEMA) inició su proceso de ayuda a los damnificados.

Ruinas de una residencia que originalmente era de dos niveles, en Guánica, enero 2020. Foto del autor.

[175] *El Vocero de Puerto Rico*, viernes 17 de enero del 2020, p. 6.

En estos tiempos modernos, las redes sociales y los medios de comunicación permiten tener un mayor insumo de información, a la misma vez, pueden causar histeria y desinformación. Por lo que es prudente seguir los canales oficiales como la Red Sísmica y el Servicio Nacional Geológico en Estados Unidos. Los pronósticos de estas entidades indicaron que las réplicas seguirían por un buen tiempo y podrían pasar los 4.5 grados de magnitud. Al momento de redactar este capítulo, todavía en el área de Ponce y demás pueblos del suroeste se seguían sintiendo los temblores y la preocupación de la población era latente.

En el campo de la sismología es común que un fuerte temblor sea precedido de múltiples sismos y réplicas menores. Proceso que se hace a lo que se acomoda la falla o foco afectado. Por lo general, esos movimientos son comunes después de un sismo grande. En el pasado, los terremotos del 1615, 1787, 1844, 1867 y 1918 tuvieron el mismo patrón de múltiples semanas con temblores y réplicas. El terremoto del 1844 tuvo sobre tres meses dando dolores de cabeza con las réplicas. El del 1867 estuvo sobre cuatro meses y el del 1918 sobre seis meses, sufriendo la región de Arecibo los sismos post evento de mayor intensidad reportados.[176]

Pueblos con mayores daños

En esta sección se va a presentar un resumen de las zonas más afectadas a consecuencia de los sismos. Debemos indicar que las múltiples réplicas posteriores a los dos temblores principales debilitaron y derrumbaron casas que no se cayeron en los sismos del 6 y 7 de enero de 2020. A esto, añadimos que, al momento

[176] Daniel Mora Ortiz, "A cien años del terremoto en Arecibo", *Hereditas, Revista de Genealogía Puertorriqueña*, 2019. El día 12 de noviembre del 1918 sucedió un fuerte temblor que fue comparable al del mes anterior. Previamente los días 21 y 24 de octubre se sintieron réplicas notables. La última que se notó en la zona norte fue la del 22 de marzo del 1918.

de publicar este libro, los daños monetarios son preliminares. Se necesitarán varios meses para cuantificar las perdidas monetarias. Además, tomará un tiempo prudente el conocer cuantas personas recibirán ayuda por FEMA.

Guánica

De todos los pueblos a mencionar, el poblado costero de Guánica es uno de los más que tiene reporte de casas caídas. En el sismo de día 6 de enero cayeron aproximadamente cinco casas ubicadas cerca de la playa. Todas del sector Esperanza del referido pueblo. Estas residencias eran de construcción sólida. El denominador común de todas las moradas afectadas eran que tenían una base de cemento.[177] A parte de esto, hubo algunos derrumbes pequeños en la zona que va hacia la playa Caña Gorda. El antiguo Faro ubicado en la misma ruta, sufrió un derrumbe de un 30% de su estructura. En el trascurso del día otras réplicas se dieron en la región, aunque las mismas no tumbaron estructuras, sí ayudaron a continuar el proceso de debilitamiento de estas.

El fuerte temblor del siguiente día hizo que varias decenas de casas se cayeran al piso. Que otras quedaran gravemente afectadas y que fuesen descartadas para vivir en ellas. La zona del malecón quedo agrietada y varios negocios en la zona sucumbieron ante las ondas sísmicas. En una buena parte del casco urbano las residencias sufrieron daños severos.[178] Las zonas más afectadas son las barriadas y sectores más cercanos a la playa. El antiguo faro, sucumbió en su totalidad con este sismo. Varios derrumbes fueron la orden del día en la zona que va hacia la playa Caña Gorda. Se debe indicar que la escuela superior, ubicada a las afueras del casco urbano, sucumbió ante los eventos

---

[177] *El Vocero de Puerto Rico*, martes 7 de enero del 2010, pp. 2-3.
[178] *El Vocero de Puerto Rico*, miércoles 8 de enero del 2010, pp. 3-5.

telúricos. Esta eventualidad hizo que se alzara bandera roja, se diera notificación del chequeo general a todos los planteles escolares de la Isla. Esta es una razón por el cual las clases en el sistema público tardaron en reanudarse.

El temblor de 6.4, cuyo epicentro fue a pocos kilómetros al sur de la Ensenada de Guánica, fue sentido por sus habitantes a una escala de siete. Por lo que eso fue factor para que muchas estructuras se debilitaran con el evento de múltiples réplicas que siguieron después de los sismos principales. A dos semanas de haber pasado la emergencia nacional, tan solo en este pueblo sobre 630 casas sufrieron daños estructurales. En total había sobre 2,800 refugiados durmiendo en casetas en lugares abiertos.[179] Una buena parte de los refugiados habían perdido en su casa y otros no se sentían seguros de su morada. Las pérdidas totales en este pueblo, preliminarmente ronda en varias decenas de millones. Pero no es de extrañar que el monto se eleve mucho más. Las continuas réplicas y sismos en las cercanías de la superficie, un mes después, han hecho que muchas residencias se sigan debilitando. Por consecuencia no son apta para vivir. Los eventos telúricos han hecho que el poblado de Guánica haya tenido una reducción poblacional. En un aspecto mucho más indicativo, la salud mental de la población se ha afectado grandemente.

Guayanilla

Esta población costera estuvo en el protagonismo de los múltiples sismos ocurridos desde el 28 de diciembre del 2019. El 6 de enero del 2020, el temblor del día de Reyes tumbó dos casas de bases de cemento en el sector La Playa del referido pueblo. Al igual que algunas en Guánica, los carros en los garajes del pri-

---

[179] *El Nuevo Día*, domingo 19 de enero del 2020, p. 10.

mer piso aguantaron el impacto de la caída de las residencias.[180] Adicional a esto, la icónica Cueva Ventana patrimonio turístico de este pueblo sucumbió ese día. Ese día de Reyes fue uno fatídico para los residentes de este pueblo.

Al día siguiente, el potente sismo de 6.4, ubicado su epicentro entre Guayanilla y Guánica, hizo que los daños del día anterior fuesen simples. Una cantidad de residencias cayeron al piso. Muchas quedaron con grietas amplias y superficiales. La parroquia del pueblo se derrumbó en gran parte. Eso causo gran conmoción en las redes sociales. En fin, los daños registrados fueron la orden del día en la zona y en los medios nacionales.[181] La zona del barrio Indios es donde se han registrados una cantidad innumerable de sismos asociado a la placa Montalva y a la unión con la placa de Muertos. Varias estructuras quedaron con grandes grietas. Las mismas han sido descartadas para vivir. A nivel general, sobre ciento cincuenta casas sufrieron los estragos de las ondas sísmicas. Sobre seiscientas personas estaban refugiadas en diversos lugares, incluyendo el parque municipal Luis A. "Pegui" Mercado.[182] Muchos ciudadanos de otros pueblos, han ido a llevar ayuda y suministros a las comunidades de Guayanilla. Aun no hay una idea precisa de las perdidas monetarias en este pueblo.

Un aspecto que nos llama la atención es que la central eléctrica de Costa Sur recibió un golpe fuerte con los eventos del siete de enero. La instalación sufrió grandemente en su sistema de energización, lo que provocó que toda la Isla se quedara sin energía eléctrica por varias horas. Las estimaciones iniciales eran que Costa Sur estaría inoperable por aproximadamente año.[183] La gran preocupación fue el impacto que

---

[180] *El Vocero de Puerto Rico*, martes 7 de enero del 2010, pp. 2-3.
[181] *El Vocero de Puerto Rico*, miércoles 8 de enero del 2010, pp. 3-5.
[182] *El Nuevo Día*, domingo 19 de enero del 2020, p. 10.
[183] *El Vocero de Puerto Rico*, miércoles, 8 de enero del 2010, p. 8.

esto tendría ya que de allí se genera sobre el 25% de la energía eléctrica de Puerto Rico.

Ponce

De todos los pueblos afectados, Ponce fue el que más daños a estructuras tuvo. Claro está, Ponce, en comparación con los demás pueblos afectados, es un municipio y ciudad con mucho mayor densidad urbana y poblacional. Su casco urbano, fácilmente es tres veces más grande en comparación con los demás indicados. Además, se le añade que el casco histórico de Ponce hay cientos de estructuras antiguas y muchas de estas abandonadas o simplemente con un mantenimiento deficiente.

En el día 6 de enero no hubo noticias de grietas ni derrumbes en la ciudad señorial. Los acontecimientos de daños están ligados con los eventos del 7 de enero del 2020. Ese día sentí el sismo estando en mi apartamento, ubicado en el casco urbano de dicha ciudad.

La cantidad de daños fue bastante notable, por lo que solo mencionare los más importante e impactante. En la zona cercana del casco urbano un edificio identificado como Ponce Darlington quedó con serias grietas que amenazaban que el propio fuese a colapsar. Todos los residentes fueron evacuados.[184] Otros cuatros edificios han sido declarados no aptos para vivir (Torre Plaza del Sur de 16 pisos, El Sureño de 10 pisos, condominio Ponciana y los Maestros).[185] En días posteriores ha salido a relucir que otros condominios no quedaron en buen estado.[186] En general, las ondas sísmicas se sintieron con intensidad en estructuras altas. Las más antiguas resultaron con daños mayores en comparación a las modernas.

El casco urbano del pueblo, por su particularidad de ser antiguo y vistoso, sufrió graves consecuencias.

---

[184] *El Vocero de Puerto Rico*, miércoles 8 de enero del 2010, pp. 6-7.

[185] *La Perla del Sur*, edición del 15 al 21 de enero del 2020, p. 7.

[186] Ibíd.

Entre las construcciones más afectadas estuvieron La Catedral de Nuestra Señora de Guadalupe, el museo de la Masacre de Ponce, la casa Armstrong, la plaza Juan Ponce de León, la iglesia Evangélica de la calle Unión e incluso la parte frontal de la Casa Alcaldía que sufrió daños estructurales. Por lo que estos acontecimientos hicieron un impacto rápido en la actividad comercial y turística del casco urbano.[187] Las instalaciones del periódico *La Perla del Sur* recibieron impactos notables. El reconocido complejo La Guancha fue severamente afectado. En una zona se abrió una grieta de sobre 30 pulgadas de ancho con varios pies de profundidad. La instalación deportiva, Juan Pachins Vicens, sufrió percances estructurales en el área del techo.[188] Por cuya razón no era muy apto para hacer un centro de operaciones. Incluso, varias secciones del hospital Damas fueron severamente afectadas. La institución tuvo que sacar a todos sus pacientes al estacionamiento después de los eventos del 7 de enero.

Se debe indicar que el tramo de la carretera P.R. # 2, que va del barrio El Tuque a la zona de Tallaboa, sufrió un gran derrumbe. Cuyo tráfico se vio severamente afectado. La fragilidad del terreno calizo ante las ondas sísmicas ha sido latente en el lugar. Sismos y réplicas de capacidad intermedia (4.0 – 5.9) han ocasionado estos derrumbes.[189] Esto conlleva a que se complique la labor y misión hacia los afectados. El peaje ubicado en la salida de la carretera P.R. 52 hacia La Guancha, también sufrió serios daños. Parte de él tuvo que ser derrumbado por precaución.

Prácticamente, a unas semanas después de los eventos principales. Se ha calculado que sobre mil edificaciones han quedado afectadas. Claro, unas más que otras. La cantidad de refugiados pernoctando

---

[187] Ibíd., pp. 3-4.

[188] Ibíd., p. 18. Un temblor sentido a las 9 de la mañana del día 11 de enero del 2020, cuya intensidad fue de 5.9. Hizo que se acabara de descartar el lugar como refugio.

[189] Ibíd., p. 9.

fuera de sus casas sobrepasan los 2,000.[190] Muchos ubicados en el estadio Paquito Montaner, otros en la zona turísticas de las Letras de Ponce y algunos en parques de pelota. Al igual que otros pueblos, hay muchas personas mayores y niños durmiendo al aire libre, sujetos a las exposiciones del clima.[191] Una gran cantidad de residentes no tienen vivienda segura, por lo que su estadía en zonas de refugio es una que pudo ser por mucho tiempo. Esto sin contar cuánto tardará el proceso burocrático de FEMA en brindar un hogar temporero a esos que no pueden volver a sus residencias. Los costos de recuperación solamente en la ciudad Señorial sobrepasan los cientos de millones de dólares. Con el pasar de las semanas, más y más edificaciones, poco a poco, se van tornando inservible por el continuo paso de las réplicas y temblores asociadas a la falla del suroeste.

Yauco

Uno de los pueblos que sufrió daños estructurales y que su población se vio afectada psicológicamente, aunque no es tan referenciado como los previos, lo fue Yauco. Desde el día 6 de enero se estuvieron sintiendo con gran intensidad las ondas sísmicas. Al igual que Ponce, la ciudad del café, no tuvo daños que informar en la actividad sísmica asociada al día de Reyes. Los efectos principales se empezaron a reportar al día siguiente cuando unas cincuenta residencias colapsaron, unas más rápidas que otras. Doce de ellas solamente fueron en una urbanización llamada Alturas del Cafetal.[192] Las ondas sísmicas posteriores a los eventos del 7 de enero han hecho que otras doscientas residencias no sean aptas para vivir.

---

[190] *El Nuevo Día*, domingo 19 de enero del 2020, p. 10.

[191] La noche del viernes 24 de enero del 2020, en la región de Ponce cayeron sobre cuatro pulgadas de lluvias. Tuvieron que desalojar a los refugiados del estadio Paquito Montaner y trasladarlo a otro lugar. El sábado 25 del propio mes, algo similar pasó en Yauco y en Guánica.

[192] *La Perla del Sur*, edición del 15 al 21 de enero del 2020, p. 6.

El 7 de enero, la icónica hacienda azucarera del barrio Barinas colapso por completo. Uno de los puentes a la salida de la ciudad, recibió impacto severo. Por lo que tuvo que ser cerrado y con el pasar de los días, sometido a un proceso de demolición. Al igual que otras casas en el casco urbano. Al igual que los demás pueblos mencionados las estructuras históricas y turísticas fueron severamente afectadas. Esto no es muy halagador ya que los municipios sureños tienen al turismo como una herramienta económica para mantener viva la actividad comercial y en este aspecto son muy importantes sus edificaciones históricas.

En general, en Yauco sobre 2,000 personas durmieron fuera de sus residencias después de los eventos telúricos. Unos perdieron sus residencias, mientras que otros no se sienten seguros en sus propiedades. Sobre 1,000 personas fueron ubicadas en el estadio municipal del pueblo.[193]

La vida cotidiana en este pueblo quedó interrumpida por un largo tiempo. Cosas cotidianas como ir de compras o visitar a un pariente fueron afectadas. Las instituciones universitarias fueron cerradas y movidas sus operaciones a otros pueblos cercanos. Los costos monetarios en Yauco, al momento de este escrito aún no estaban contabilizados.

Peñuelas

En Peñuelas el impacto fue considerable, especialmente en lugares cercanos a la costa. Este municipio estuvo varios días sin el servicio de energía eléctrica. Al igual que los demás lugares mencionados, Peñuelas recibe su electricidad de la planta de Costa Sur. Esta estación eléctrica es una de las más grandes de la Isla y la de mayor importancia en la región suroeste. Para su alcalde, Peñuelas fue olvidado por la administración central de Puerto Rico. Preliminarmente, tiene sobre trecientas casas que se sufrieron efectos fuertes y

---

[193] Ibíd., p. 6.

no son aptas para vivir. Todavía a tres semanas después de los sucesos principales, hay más de doscientos refugiados pernoctando al aire libre.[194]

Otros pueblos

Otros pueblos también fueron afectados. En las próximas líneas estaremos presentando una descripción de los daños ocurridos en ellos.[195]

- Utuado, con sobre ciento ochenta casas y sobre cincuenta personas refugiadas.
- Moca, sobre cincuenta casas, pero no se reportaron refugiados.
- Adjuntas, se contabilizaron más de sesenta estructuras con grietas fuertes. Todavía a dos semanas después de los sismos fuertes existían sobre 250 refugiados.
- Jayuya, se indicó que sobre ciento cincuenta residencias fueron afectadas de forma parcial con algunas de gravedad. Sobre trecientos refugiados seguían pernoctando al aire libre.
- Juana Díaz, fue reportado casi una docena de casas con algunos daños asociados a los sismos y réplicas. En total habían más de cincuenta refugiados.
- Lajas, sobre 350 estructuras afectadas de forma directa o indirecta. En algún momento hubo más de 1,400 refugiados en diversas áreas. La zona de La Parguera estuvo cerrada por varias semanas a los turistas.
- Mayagüez, sufrió impacto en varias estructuras históricas y más modernas. Sobre ciento cuarenta personas reportaron tener algún tipo de grietas peligrosas en sus residencias. Sobre ciento noventa personas siguieron refugiados a dos semanas después de los eventos telúricos principales.

---

194 *El Nuevo Día*, domingo 19 de enero del 2020, p. 10.
195 Ibíd.

Las actividades festivas y culturales fueron suspendidas en consolidación con los afectados de otros pueblos sureños.

- San German, otro poblado con muchas estructuras históricas. Este reportó varios daños en el casco urbano. Sobre doscientas residencias tuvieron un impacto con las ondas sísmicas. Se habían contabilizado en algún momento cien refugiados que no querían volver a sus residencias.
- Sabana Grande, las autoridades preliminarmente han expresado que sobre ochenta y cinco estructuras recibieron algún tipo daños. El municipio reporta sobre ciento sesenta personas durmiendo al aire libre.

En números aproximados, hasta finales de enero, sobre tres mil residencias fueron dañadas o parcialmente afectadas con estos sismos. Sobre seis mil personas en algún momento del mes estuvieron refugiadas al aire libre. Por lo que se considera que el sismo de 6.4 con sobre 15 segundos de duración, ha sido el más impactante en los pasados 101 años. En el 2016, indicamos que estábamos a las puertas de un sismo de magnitud. Tristemente, nuestras advertencias fueron cumplidas. Restara si en el futuro cercano, si alguna falla dormida o desconocida por los geólogos, vuelva a despertar y nos vuelva a sorprender otra vez.

La historia nos indica que la Isla por un periodo de cada sesenta hasta noventa años en promedio, puede estar sujeta a un evento telúrico de magnitud. Nuestro entorno caribeño tiene varias fallas y lugares de interés geológico, por ejemplo: la Trinchera del Norte (se cree que ahí surgió el terremoto del 1787), la falla del Canal de la Mona (se cree que ahí se originó el sismo de 7.3-7.5 en el 1918) y la falla Montalva que aún está en estudio. No se sabe con exactitud qué tan grande y profunda es. La misma se interconecta con la falla de

Caja de Muertos.[196] Esta última no se sabe cuánto es su tamaño. Esto último lo pueden brindar los estudios que están realizando los geólogos en el complejo de Agua Termal en Coamo. A ciencias ciertas tomara un tiempo para que los estudiosos de la Red Sísmica y el Departamento de Geología de Estados Unidos puedan indicar las causales principales de los sismos del sur-oeste. Algo es bastante cierto, es que una de las causas para la secuencial de sismo está asociada a un proceso de acumulación de energía que se da por cientos de años. En nuestro caso, llegó el punto en donde la energía acumulada sobrepaso a las presiones externas de las placas tectónicas que nos rodean.

Lo más peculiar de estos temblores de magnitud es que fueron de forma escalonada y no de forma gradual como generalmente suceden a nivel mundial. Por lo que lleva a pensar que la teoría de los sismos precursores puede ser aplicable en algunos casos especiales. Sobre esta teoría, unos investigadores, llamados Emily Brodsky y Thorne Lay de la Universidad de California, plantean que dos placas en subducción emiten empujes lentamente, por lo cual en zonas de fallas reciben el empuje lentamente. La misma va creando sismo hasta que surja uno más grande y se conoce como el tope de la multiplicidad de sismos. Según estos científicos, el sismo de 8.1 en Chile, sucedido en el 2014, y el de 9.0 en mayo del 2011 en Japón mostraron esas tendencias.[197]. Los propios investigadores concluyeron que una gran actividad sísmica no necesariamente culmina en un gran terremoto. Por lo que el valor de predicción se da en zonas especiales. Es decir, que estén dormidas. Se necesitan más estudios para certifi-

---

[196] Esta también indicada la falla del sur. Ubicada en las cercanías de los pueblos sureños como Guayama, Salinas, Santa Isabel y Arroyo. De esta no hay mucha información relacionada.

[197] Emily Brodsky y Thorne Lay, *Sismos precursores pueden anunciar grandes terremotos*. Recuperado de la página web www.scidev.net el 4 de enero del 2020.

car estos datos y más equipo para realizar un monitoreo a nivel planetario. Se debe mencionar que los lugares indicados están en una de las zonas más sísmicas del planeta. Estas características de sismos precursores pueden ser aplicable a lo que sucedió con la falla Montalva.[198]

Dentro de un tiempo en especificó los geólogos y sismólogos nos podrán decir con más eficacia cual fue el papel de las placas en los eventos sísmico del mes de enero del 2020. En las redes verán múltiples teorías, pero la verdad es que muchas carecen de credibilidad científica y otras que hay que analizar.[199] A nuestros lectores, estos incidentes son evidencia de que los terremotos realmente son parte de nuestro entorno caribeño, aunque menos frecuentes en comparación con los huracanes. La historia es una herramienta que nos ayuda a entender estos fenómenos y a complementar la planificación para el futuro.

Hace 100 años, el 20% de las estructuras en Puerto Rico eran sólidas. El resto era de madera y paja. Hoy en día, debido a los cambios en nuestros modelos de construcción, la mayoría de los edificios son sólidos. Una de las razones para ello es que la frecuencia de los huracanes es mayor que la de los terremotos. No

---

[198] La secuencia de sismos ascendente fue el de 4.8 en 28 de diciembre, 5.7 el día 6 de enero y el de 6.4. Tres semanas después de los eventos ha sido el evento de mayor altitud. Después del 7 de enero, los días 11 (5.9) y 25 enero (5.3). Esto sismos emitieron menos del 10% de energía en comparación con el evento principal. Prácticamente, menos de cuatro sismos han superado la escala de cinco, después de los eventos del 7 de enero del 2020.

[199] Un grupo de científicos chilenos del Departamento de Física de la Universidad de Chile liderados por Enrique Cordaro. Descubrieron una relación entre la variación del campo magnético y los movimientos telúricos en diferentes puntos del planeta a través de la década. Las oscilaciones hacen que el interior de la tierra sufra variaciones y en un tiempo determinado se producen los sismos. Los terremotos de sobre ocho ocurrido en Sumatra (2004), Maule en Chile 2010 (8.3), Ikaku en Chile 2014 (8.8) y Japón 2011 (9.0). Entienden que están relaciones con variaciones del campo magnético y los rayos cósmicos del sol hacen una interacción con la oscilación de las placas. Para más información véase www.uchile.cl.

obstante, las autoridades locales deben buscar nuevas estrategias de construir sólidamente. Los eventos sísmicos de principio del 2020 dejaron pérdidas cuantiosas y un proceso de recuperación largo. La inversión monetaria para las reparaciones es de cientos de millones de dólares y esto solamente para una docena de pueblos declarados como zona de desastres. Hay que mirar hacia el futuro, mirar que en cualquier momento alguna falla dormida puede despertar y causar un gran mal a la Isla. Hay que aprender de estos eventos. Es una señal clara, que la tierra tiembla en algunos momentos y se libera energía excedente, cuyo resultado podría llevar a un terremoto.

La historia nos ayuda a complementar los estudios científicos sobre este tema. Debería ser parte fundamental para el proceso de planificación y preparación para los años venideros. La finalidad de esta publicación es irnos hacia esa dirección.

Centro Gubernamental, Guánica, enero 2020.

Gazebo en Guánica, enero 2020.

REFERENCIAS

Fuentes Primarias

Archivo General de Indias digitalizados

Santo Domingo, 904, L.20. Actas del Rey enviadas a la Audiencia de Santo Domingo.

Santo Domingo, 9, N.35.

Santo Domingo, 62, R.6. N.41. Correspondencia de la Audiencia de Santo Domingo.

Santo Domingo, 165, Correspondencia del Cabildo de San Juan.

Santo Domingo, 172, Correspondencia de Obispo.

Santo Domingo, 170 y 171, Informe de Seculares.

Santo Domingo, 155, 156, 157, 158, 159, 160, 161, 162 y 163. Correspondencia de Gobernadores.

Santo Domingo, 876, Libro G-26.

Santo Domingo, Mapas y Planos, 1, 8, 36, 60, 67, 74, 77, 85, 126, 130, 198, 294, 368, 750 y 834.

Escribanía de Cámara, 122. Juicio de Residencia del Gobernador Diego de Aguilera y Gamboa, Obtenido en la Colección Monseñor Murga, Universidad Católica de Puerto Rico.

Archivo Histórico Nacional digitalizados

Ultramar, 5063, exp. 42; 5064, exp. 26; 5066, exp. 13; 5075, exp. 45; 5163, exp. 68; 1109, exp. 77; 314 y 315, exp. 17; 379, exp. 10; 390, exp. 19; 372, exp. 1-8.

Archivo General de Puerto Rico

Obras Públicas, Asuntos Varios, Legajo. 205, Caja 159.

Obras Públicas, Asuntos Varios, Legajo. 206, Caja 160.

Obras Públicas, Asuntos Varios, Legajo. 208, Caja 161.

OOPP/OOMM, Legajo 21, Caja 220.

Archivo Histórico de Ponce

Ayuntamiento, Secretaría, Beneficencia, Calamidades, Terremotos, Años 1863-1918, S-285-1, S-285-2, S-285-3, S-285-4, S-285-5.

Ayuntamiento, Beneficencia, Calamidades, Huracanes, Años 1867-1898, S-282-1.

Prensa
La Gaceta de Puerto Rico 1852, 1863 y 1867.
La Gaceta de Madrid, 1846.
La Democracia, 1918.
La Correspondencia, 1918.
El Primera Hora, 2014.
El Nuevo Día, 2020.
El Vocero de Puerto Rico, 2020.
La Perla del Sur, 2020.

Fuentes Primarias Impresas

Documentos Históricos de Puerto Rico, 1544-1580. Tomo 4. Centro de Estudios Avanzados, 2009.

Actas del Cabildo de San Juan Bautista de Puerto Rico 1785-1789. Publicación Oficial del Gobierno de la Capital, 1966.

Sentencias de Juicio de Residencia de Puerto Rico en los siglos 16, 17 y 18. Colección Monseñor Vicente Murga.

Informe del Comisionado del Interior de Puerto Rico. San Juan, 1923.

Fotografía Histórica del terremoto del 1918 en Puerto Rico. Colección de Humberto Costa.

Fuentes de Internet

La Red Sísmica de Puerto Rico.
Colección Rodríguez Archive de José L Rodríguez.
Página de la Nasa.

Fuentes Secundarias

Abbad y Lasierra, Iñigo, *Historia geográfica, civil y natural de la isla de San Juan Bautista de Puerto Rico.* Edición Anotada por José Julián Acosta. Imprenta y Librería de Acosta, 1866.

Asenjo, Federico. *Las efemérides de Puerto Rico.* Puerto Rico, 1870.

Brodsky, Emily y Thorne Lay, *Sismos precursores pueden anunciar grandes terremotos.* Recuperado de la página web www.scidev.net el 4 de enero del 2020

Caldera Ortiz, Luis. *Historia de los ciclones y huracanes tropicales en Puerto Rico.* Lajas, Editorial Aquelarre, 2014.

_____. *Las pestes en Puerto Rico, 1681-1697: Muerte y desolación en la isla de San Juan Bautista de Puerto Rico.* Coamo, Imprenta Acosta, 2014.

_____. *Historia de la construcción de las viviendas en Puerto Rico, siglo XVI y XVII.* Obra Inédita, 2015.

Cardona, Walter. "El naufragio del L'Escull en Arecibo, Puerto Rico. *Hereditas,* Revista de Genealogía Puertorriqueña, vol.11, num.2, año 2010, pp. 50-65.

Caro, Aida. *El cabildo o régimen municipal en el siglo 18: Orden y funcionamiento.* San Juan, Instituto de Cultura, 1965. Tomo 1.

Colon Ramírez, Héctor. *Historia del pueblo de Barranquitas: Cuna de próceres, 1803-1920.* Colombia, 1996.

Coll y Tosté, Cayetano. *Boletín histórico de Puerto Rico.* San Juan, Imprenta Tip y Fernández. 1918. Tomo 5.

Córdova, Pedro Tomas de. *Memorias geográficas, históricas, económicas y estadísticas de la Isla de Puerto Rico.* Tomo 2. San Juan, Edición Facsímil, 1968.

Cruz Monclova, Lidio. *Historia de Puerto Rico, siglo 19.* Río Piedras, Universidad de Puerto Rico, 1979. Tomo 3-6.

De Hostos, Adolfo. *Tesauro de datos históricos.* Río Piedras, Editorial de la Universidad de Puerto Rico, 1993. Tomo 5.

_____. *Diccionario histórico bibliográfico comentado de Puerto Rico.* San Juan, Instituto de Cultura Puertorriqueña, 1976.

Díaz Hernández, Luis. *Temblores y terremotos en Puerto Rico.* Ponce, 1985. 2 da ed.

Diests, James. *Historia económica de Puerto Rico.* San Juan, Ediciones Huracán, 1988.

Hernández, Pedro. *Las Fiestas de Cruz o Rosarios Cantados en Utuado.* Utuado, Editorial Ubiz, 1978.

Gallart, Mary Frances. *Tabacalero y socialista en Cayey: Salvador Gallart Alonso.* San Juan, Editorial Post Data, 2011.

González Vales, Luis. "Asencio de Villanueva y la Villa de Villanueva; Un intento de fundar una tercera población en Puerto Rico". Actas del XI congreso de la Asociación de Academias Iberoamericanas de la Historia. San Juan, 2010, pp. 649-656.

Fielding Harry y Taylor Stephen. *Los terremotos de Puerto Rico de 1918.* San Juan, Negociado de Materiales Imprenta y Transporte, 1919.

Fontan y Mera, Vicente. *La Memorable noche de San Narciso y los temblores de tierra.* Puerto Rico, Imprenta del Comercio, 1878.

Huerga, Álvaro. *Historia documental de Puerto Rico. Primeros historiadores de Puerto Rico.* Ponce, Universidad Católica de Puerto Rico, 2004. Tomo XV.

Huerga, Álvaro y Vicente Murga. *Episcopologio de Puerto Rico: Pedro de la Urtiaga a Juan Zengotita, 1706-1802.* Ponce, Universidad Católica de Puerto Rico, 1990. Tomo IX.

James, C.R.L. *The Black Jacobines: Toussaint L'Ouverture and the San Domingo Revolution.* New York, 1989.

Jaramillo Nieves, Lorna. *11 de octubre de 1918, El terremoto en Puerto Rico: Lecciones cien años después.* San Juan, Publicaciones Puertorriqueña, 2019.

López Cantos, Ángel. *Historia de Puerto Rico, 1650-1700.* Sevilla, Escuela de Estudio Hispanoamericanos, 1974.

Medrano Herrero, Pío. *Angustia, destrucción, pobreza y muerte: Los huracanes de 1615 y 1642 en Puerto Rico.* Artículo Digital, 2008.

Méndez Muñoz, Andrés. "Pobladores del Partido de San Francisco de la Aguada en los juicios de residencia para finales del siglo 17". *Hereditas,* Revista de Genealogía Puertorriqueña, vol.7, núm. 2, años 2006, pp. 60-76.

Mier, Johannes. *Historia de la Iglesia en América Latina.* Tomo IX Caribe. España, Ediciones Sígueme, 1995.

Mora Ortiz, Daniel. "A cien años del terremoto en Arecibo". *Hereditas,* Revista de Genealogía Puertorriqueña, 2019.

Morales Carrión, Arturo. *Puerto Rico y la lucha por la hegemonía por el Caribe: Colonialismo y contrabando, siglos 16 al 18.* Río Piedras, Editorial de la Universidad de Puerto Rico, 2003.

Newman Gandía, Eduardo. *Verdadera y autentica historia de la Ciudad de Ponce.* Edición Facsímil 1913. San Juan Instituto de Cultura Puertorriqueña, 1987.

Pedreira, Antonio. *Bibliografía puertorriqueña 1493-1930.* Madrid, Imprenta de la Librería y casa editorial Hernando, 1932.

Picó, Fernando. *Historia general de Puerto Rico.* San Juan, Ediciones Huracán, 2000.

Rivera Bermúdez, Ramón. *Historia de Coamo: La villa aneja.* Coamo, Imprenta Acosta, 1992.

Sued Badillo, Jalid. *El Dorado borincano: La economía de la conquista, 1510-1550.* San Juan, Editorial Puerto, 2001.

Szasdi León-Borja, Istvan. "Medio ambiente, urbanismo y gobierno en el espacio antillano durante el siglo 16". Actas del XI congreso de la Asociación de Academias Iberoamericanas de la Historia. San Juan, 2010, pp. 677-705.

Tapia y Rivera, Alejandro. *Biblioteca histórica de Puerto Rico.* San Juan, Instituto de Cultura, 1970.

Tarbuck, Edward y Frederick Lutgens. *Ciencia de la Tierra: Una introducción a la geología física.* España, Peason Educacion, 2005. 8va ed.

Tío, Aurelio. *Fundación de San German.* San Juan, Biblioteca de Autores Puertorriqueños, 1970.

_____. *Dr. Diego Álvarez Chanca, estudio biográfico,* San Juan, Instituto de Cultura Puertorriqueña, 1966

Vila Vilar, Enriqueta. *Historia de Puerto Rico, 1600-1650.* Sevilla, Escuela de Estudio Hispanoamericano, 1974.

Velázquez, Gonzalo. *Bibliografía puertorriqueña 1930-1980.* Río Piedras: Universidad de Puerto Rico. 2007.

Made in the USA
Monee, IL
16 October 2023

44688243R00075